KB085704

跆拳道教本

3

品势

目录

第三卷
品势

第一章
品势的理解

第二章
品势的类型

1 品势的理解

品势的概念

1 品势的意义

品势是一种训练系统，需要修炼者反复练习并可以应用于现实生活中的各种攻击和防御技术。这涉及到在规定的品势演武路线上，通过站姿、改变方向或者移动重心，并结合其他远距离和短距离技能，与一个想象中的对手进行模拟对抗。这使得修炼者能够自己练习和掌握各种攻击和防御技术变得系统化。品势技术有标准化的形式，它强调的是身体协作的原理和动作意义的形态，而不是基于事实的实用形式。每个品势都有自己的名称、线路和强调的象征意义。随着修炼的进展，技术的复杂性也会增加。在品势动作中，适当控制动作的速度，可实现品势修复身体的功效。最近，除了攻击和防御训练，跆拳道的美学价值也得到了认可，即修炼者为了品势本身而练习品势。要理解品势的性质，就需要在训练期间关注身体内部的协调，而不是身体的外在可视形态。

品势在训练过程中很重要，因为它让修炼者能够反复练习跆拳道的动作，并用它们进行攻击和防御。练习品势使跆拳道修炼者学会如何通过呼吸和将力量从地面传递到身体的通道来控制自己的力量和动作速度。

总的来说，品势训练能够提升力量、耐力、平衡力、敏捷性、快速反应和灵活性。在从品势训练到掌握终极技术的过程中，培养克服自己的强大精神力和永不放弃的意志，以掌握技术为基础培养保护自己身体的能力。虽然品势是徒手练习，但是修炼者可以使用工具，并根据情况将它们利用发展成其他的技术。

2 __ 品势的定义

品势是以多种跆拳道技术为基础, 掌握如何移动身体和使用力量的方法, 它基于可以用于攻击和防御的各种跆拳道技术。品势训练不仅使修炼者能够锻炼身体, 还能自我反思并改善自己的态度和精神, 反省和克服自我, 成长为理想的人。因此, 品势是指定型化的跆拳道技术的外形一起理解动作内在的意义并进行修炼, 通过系统的反复修炼, 不仅具有实际跆拳道攻防的执行能力, 还谋求身心健康的跆拳道修炼法。

3 __ 品势修炼的价值

在品势训练中, 对手是一个想象中的自我, 换句话说, 你将与一个想象中的对手经历许多战斗。在训练过程中, 修炼者可以学习如何平衡优势和弱点, 掌握力量运用带来的强柔协调, 力量和速度带来的流动协调, 通过将身体对准中线达到平衡, 通过水平和垂直对称来平衡力量和速度, 以及通过跳跃来抵抗重力。在与自己的战斗中, 如果修炼者如果稍微感觉到力量之间的不均衡, 速度的不协调, 重心的均衡, 或者身体协调的不完美, 品势修炼者最终会有自己独有的经验。

品势修炼者为了克服自我, 达到完成阶段, 无限反复的修炼品势, 最终达到技术极致和艺术境界。在这种修炼过程中, 我们得到了价值。

(1) 身体价值

有规律的品势训练可以激活日常生活中未被使用的肌肉和神经系统, 以促进均衡的身体发展和健康。另外考虑动作意义的同时反复掌握攻击和防御技术, 提高发生紧急情况时跆拳道技术的执行能力, 如果在修炼品势时, 对每个动作具有的意义或实用性没有理解, 品势只不过是单纯的健康体操, 另外跆拳道品势的目的是有效掌握攻防技术, 因此, 在修炼跆拳道品势时正确的认识其动作所具有的实用性, 反复修炼攻击、防御动作非常重要, 这些动作使得身心之间可以通过有机互动实现和谐的成长。

(2) 精神价值

反复练习和掌握品势技术, 专注于每个动作的含义, 可以增强修炼者在实战中的自信心和专注力, 同时保持冷静。此外, 品势训练可以提高短期记忆, 通过积累关于特定情况的间接经验, 品势使得修炼者在需要的时候能够自然地选择和执行恰当的动作。更重要的, 练习攻击和防御技术有助于提高心理素质, 让修炼者能够冷静应对紧急情况。同时, 品势训练可促进脑源性神经营养因子的表达。此外, 记忆各种品势动作刺激前额叶, 这可减缓衰老, 有利于形成积极的生活方式, 定期进行品势训练来刺激大脑, 通过接受和克服不同的技术动作实现各种刺激的过程, 大脑得以发展。

(3) 护身价值

通过品势训练学习各种护身动作, 人们在紧急情况下能够自然的作出反应。当然, 根据熟练度多少会有一些差异, 但是持续的训练可增强反射作用, 提高神经肌肉系统的反应速度, 确保在紧急情况能够做出反应。因此, 教练应该让修炼者明白每个品势动作的含义, 修炼者在训练时应该思考这个含义, 当练习品势时, 重要的是要通过控制速度和力量并专注于其含义来执行每一个动作, 同时想象你的攻击被防御者挡住或者对手正在攻击你, 由于品势训练也会诱导脊髓反射, 因此重要的是要反复并有意识地练习。

(4) 竞技价值

在比赛中, 品势有其重要价值, 修炼者在展示技术时, 会竞相展示完美的技术。每一个 “动作”的表现都是训练的结果, 也是修炼者自我表达的方式。品势包含了跆拳道作为一门武术的原型, 修炼者通过包含所有价值的训练过程达到完美的境地。包括品势在内的人体艺术运动会产生对技术的美感和完美感的追求。动作练到成熟后看起来会很自然, 这种自然状态将动作提升到艺术的层次, 即自我消融的状态。由于品势是使用徒手进行各种攻击和防御动作的组合, 所以理解如何优雅高效地移动身体非常重要。在展示练到成熟的品势时, 修炼者通过完全沉浸在动作中实现自我消融, 即与动作相融合, 而不仅仅是表演动作。其自然性并非人为造成的, 而是身体和动作之间和谐的表现, 当它需要安静时, 它就安静; 当它需要柔和时, 它就柔和; 当它需要狂怒时, 它就像暴风雨一样狂怒; 当它需要庄重时, 它就像山一样庄重; 当它需要快速时, 它就像闪电一样快速。换句话说, 它是通过身体进行的最终表达。表演者和观众通过最高水平的品势表演而统一起来的状态, 就是品势竞技的价值。

(5) 教育价值

通过品势进行的体育训练体现了教育价值，即对于品格形成的作用，现代社会需要身心和谐的成长，而这种成长可以通过品势训练来实现。品势是一种非暴力的、彻底的自我克制的训练方法。在大多数武术中，选手会欺骗对手或者找到并利用对手的弱点。使自己处于有利的位置，相反，品势训练是通过自我克服反复训练的过程，旨在让修炼者逐步具备完成动作的能力。这给了修炼者一种成就感和自信心。在品势训练中，防守优先于攻击，这相当于尊重对手，表明品势修炼者优先考虑和平的态度。如前所述，品势是对自己的彻底挑战，如果不能克服自己，就无法克服对手。

2 品势的构成

品势在设计上有独到之处, 使人可以自己训练和学习攻击技术。由于品势是跆拳道技术的缩影, 你可以通过持续的练习学习如何使用你的身体进行攻击和防御。

品势的构成可以总结如下:

- 所有的品势技术都包含一定比例的攻击和防御动作, 并且包含曲线和直线的动作。
- 品势包含用手和手臂进行的攻击, 包括格挡, 以及用脚和膝盖进行的攻击, 包括踢。
- 根据跆拳道的精神, 即尊重礼仪, 防御动作在品势中被安排在开始部分, 并不是首先攻击对手。
- 品势的组织方式是随着级别(级和段)的提高, 修炼者可学习各种不同的动作和技术。
- 品势包括在训练攻击和防御技术时必须遵循的演武线。被认可的品势应该在开始的地方结束。
- 在品势中, 提高和训练身体运动能力、改善健康状况以及武术技术的训练动作被升华为一种艺术形式。
- 品势有固定的站姿和步伐。你练习的越多, 步伐就越稳定、自然。
- 品势具有对称的结构, 用于均衡发展身体的左右两侧, 包括左右大脑。
- 品势的攻击和防御技术包括通过扭动或拧压身体的肌肉和关节来增强力量的动作。
- 在品势中, 进行气合以增强高潮的动力或结束动作, 并完成技术表达。

3 品势的类型

1 公认品势

公认的品势, 用于跆拳道晋级考试 (级和段考试) 和教育 (品势教育, 教练培训, 裁判培训), 目前包括太极一章到太极八章的有级者, 以及高丽, 金刚, 太白, 平原, 十进, 地跆, 天拳, 汉水, 和一如, 以及8个八卦的品势, 用于有段者 (黑带持有者)。已经形成了二十五种品势, 它们被称为授权的品势或公认的品势。大韩跆拳道协会的品势制定委员会在1968年成立, 负责品势的开发。委员会最终确定了17种品势, 包括八卦 (8) 和高丽到一如 (9)。1972年, 技术委员会成立了一个品势和术语小组, 以建立太极品势 (一至八章) 以包含在学校课程中, 完成25种品势。目前, 八卦品势 (8) 未被使用。

2 竞技品势

- 竞技品势, 世界跆拳道联盟、五大洲联盟, 以及大韩跆拳道协会 (KTA) 的官方比赛中使用, 包括新品势 (例如, 挑战、新星、飞踢、腾飞等), 自由式品势, 以及公认的品势等。
- 新品势 (挑战、新星、飞踢、腾飞) 世界跆拳道联盟、亚洲跆拳道联盟, 以及大韩跆拳道协会的成员在2016年到2017年间创建, 当时跆拳道被采纳为2018年雅加达/巨港亚运会的正式项目。它们仅在亚运会中被采用并作为比赛品势使用。
- 自由式品势是一种新型的品势形式, 通过使用音乐和编舞以及跆拳道的高级踢法、新的攻防动作和杂技技术与其他类型区分开来。与编舞以及音乐协调的自由式品势可以由参与者自由编排。

3 __ 功能性品势

功能性品势是由国技院研究所针对包括肥胖者、妇女、老年人、成年人和青年人在内的普通公众的健康和康复进行研究和开发的, 但它们并没有被正式传播。

4 __ 其他

为了有效的训练, 其他类型的品势可以根据实际技术的转换、手和脚技术比例的调整、坚实和柔和的平衡、速度, 以及以呼吸为中心的动作的调整进行分类。

4 品势修炼

1 品势修炼的过程

这涉及到反复练习以训练身心, 达到完美, 包括以下五个步骤:

(1) 形式

首先, 修炼者基于国技院定义的技术准确地理解和练习每个动作, 这需要学习准确的技术动作并在体验身体和动作的和谐与协调同时的练习形态。

(2) 领会

修炼者理解动作的含义和机制, 并学习如何使用和连接它们。这需要理解整个品势及其各个动作的含义。通过理解如何使用身体, 通过紧张, 放松, 和呼吸, 修炼者理解如何创造和使用力量。在这个步骤, 动作的意图变得清晰, 同时, 修炼者对抗想象中的对手进行攻防时, 也会在心理上做好准备。

(3) 应用

在这一步中, 修炼者可以使用其通过不停的练习所掌握的技术。换句话说, 品势动作可以在现实生活中使用。然而, 你不能仅仅通过了解其含义就简单地应用一种动作; 你需要理解如何应用它, 这需要练习。

(4) 自成风格

在练习过程中, 修炼者将品势融入自身的身体和其他品格中。在这里, 修炼者在练习每个动作时会发展出独特的风格。

(5) 圆满

在此, 动作的感觉变为一体, 不在自我意识中, 达到完美的身心和谐, 以达到技术的极致。在“圆满” 阶段, 动作的概念并不固定; 修炼者可以使用各种跆拳道技术。

2 __ 品势修炼的要点

(1) 视线

在品势练习时, 眼神的聚焦最为重要。面向前方, 与一个想象中的、与自己体能相同的对手保持视线水平, 扩大视角。眼睛应盯着一个位置以预先防止对手, 并观察对手的动作以便立即通过实时调整距离进行应对。站姿意味着将身体与中心线（重力线）对齐, 并通过将体重均匀分布在脚底保持稳定。动作完成的那一刻, 下半身必须保持稳定以提高上半身攻防的效率。如果你看错了方向, 你可能会失去平衡和稳定。因此, 视线的方向在瞬间判断、距离控制以及保持身体和精神稳定上起着至关重要的作用。

(2) 重心转移

稳定的重心意味着两腿应该平衡。另一方面, 必须将重心转移到任一腿上以改变位置。这被称为重心转移。重心转移允许灵活调整与对手的距离, 使攻防更有效。

(3) 速度的快慢

自由高效地控制动作的速度（节奏和速度）需要肌肉放松。放松意味着没有不必要的收缩。当你的肌肉放松时, 你可以创造出快速有效的紧张状态（收缩）。由于身体在放松后才能收缩, 所以在收缩后恢复到放松状态对于连接动作非常重要。因此, 你需要通过放松和收缩肌肉来控制速度。速度控制意味着 "慢和快", 不仅仅是慢和快的动作, 而且是从开始到结束整个动作的变化。有效的速度控制使得更有效率和平滑地使用中心轴。有机的身体协调创造了一种动作不断流动的自然状态。

(4) 刚柔

正如性格的坚韧与柔和需要相辅相成，刚柔表示身体在执行动作时能够协调一致，刚柔相济，没有做作的痕迹。当你启动动作时，吸气并释放不必要的紧张以柔和地开始。当身体协调而有序地移动，没有不必要的紧张，这被称为柔。当动作完成时，呼吸与所有的动作协调，以将产生的强大力量传输给对手，这个状态被称为刚。

(5) 通过呼吸的放松和收缩

呼吸是维持生命的必要身体功能，它通过收缩和放松肌肉或产生力量来移动身体。放松是一种准备状态——基于冷静——在紧急情况下能够迅速反击。当你放松时，你能够平滑地移动全身的肌肉和关节。肩部、肘部、手腕关节、腰部、臀部(骨盆)、膝盖和踝关节的不必要紧张会减少灵活性，使动作不稳定。紧张状态会使肌肉变得僵硬，缩小视角，降低判断力和理解力，使动作的表现不稳定。

(6) 通过动力链产生的地面反作用力

呼吸对于增强力量至关重要。通过鼻子吸气，并将力量施加到你的丹田以将其传输到你的下半身。这使你能够获得地面力量，并将其作为链式反应传输到你的上半身。

- 当你在呼吸时强力蹬地，地面的反弹力会通过你的腿传输到你的腰部。
- 传输的力量通过骨盆和腰部的旋转得到放大。
- 放大的力量旋转身体的躯干。
- 由于旋转力，臂部迅速移动，力量变得更强，由手臂和背部肌肉的力量加以补充 (根据肘部和手腕的使用，腰部的旋转可能转变为直线运动或转变为曲线)。
- 通过肘部将传输到手臂的力量传送到使用区域。
- 根据使用区域和情况，可以应用于各种攻击和防御动作。
- 在最后的一击中，身体转移伴随着呼吸和手足协调，由于手腕的猛击，瞬间加速，从而进一步增加力量的强度。

(7) 平衡

在品势中, 平衡指的是身体的均衡状态。平衡分为身体质量中心的平衡, 通过正确对齐身体并均匀地分布重量在整个脚掌上来稳定重心; 在执行跆拳道技术时, 通过左右及上下部分肌肉的肌肉张力平衡来提高力量和速度; 以及稳定性的平衡。

一. 身体中心的平衡

跆拳道品势涉及很多体重转移步伐的变化。因此, 保持身体的平衡非常重要。在完成瞬间动作时, 如果将呼吸集中到下腹部 (丹田) 并施加力量, 尾骨会向内收, 这将使身体与中心线对齐, 增强身体并保持稳定性。

二. 力和速度的平衡

在品势练习中执行或完成动作时, 必须达到手臂和上下半身之间的张力平衡, 以及力量和速度之间的平衡, 以无缝连接动作并最大化力量。

(8) 如何执行品势动作

一. 保持良好的姿势

良好的姿势不会给身体带来压力, 并有助于精神稳定, 使身体更容易活动。在品势练习中, 不正确的姿势可能会对动作的表达和身体的形态产生负面影响, 损害你的身体或阻碍跆拳道技能的提高。如果身体的中心在站姿位置不稳定, 全身的力量就无法有效的使用。重要的是要将全身与中心线对齐以纠正姿势, 并确保身体的平衡和稳定。

二. 增加运动中心轴的旋转

在初级的品势阶段练习中, 尽可能大幅低地练习旋转的运动范围, 可以增大运动量和加强力量, 这样运动氛围逐渐减小以执行更精确和实用的技术。

三. 简化动作

使动作简单自然。不要进行不必要的预备动作, 如过大的动作或过度使用力量。在利用腰部力量时, 如果提前过度移动手臂和肩膀, 就很难发挥出瞬时力量。此外, 当肘部抬起时, 颈部和肩部会变得僵硬和不稳定, 这会妨碍动作的正确执行。

四. 身体和手脚的协调运动

如果身体的躯干和肢体不协调运动, 就很难使用全身的力量。例如, 在用同侧的手和脚进行冲拳和踏步时, 身体和手的动作应协调, 使它们在脚触地后不是分别完成, 而是一起完成。

5 品势线方向标号

品势的起点用 “Na” 标记, 意味着修炼者站立的位置。“Na” 的前方用 “Ga” 标记。左边用 “Da” 标记, 右边用 “Ra” 标记。

从中心开始, 它沿着 “十” 、“水” 、“卍” 、“一” 等演武线。“Na” 的后方用 “Ma” 标记。

1 _ 有级者品势(一至八章)有段者品势方向标号

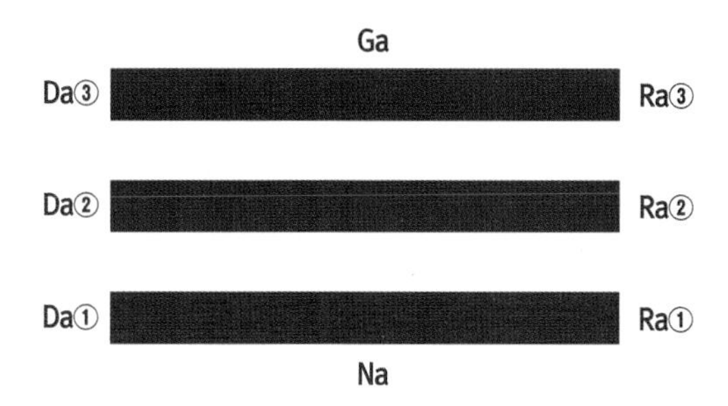

※ 本手册从修炼者的视角呈现方向, 从读者的视角来看, 这就与上、下、左、右的方向相反。

2 __ 有段者品势线方向标号

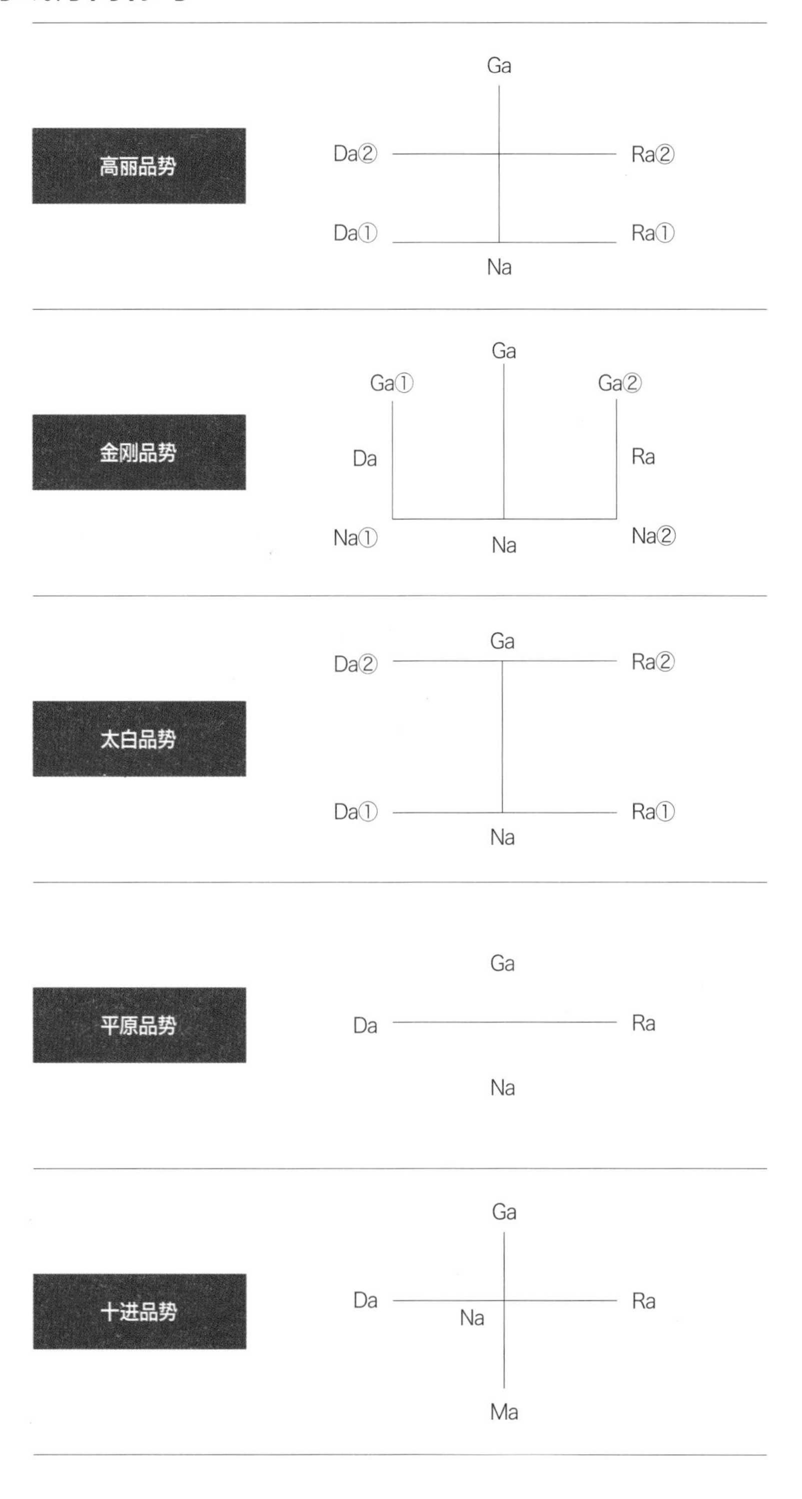

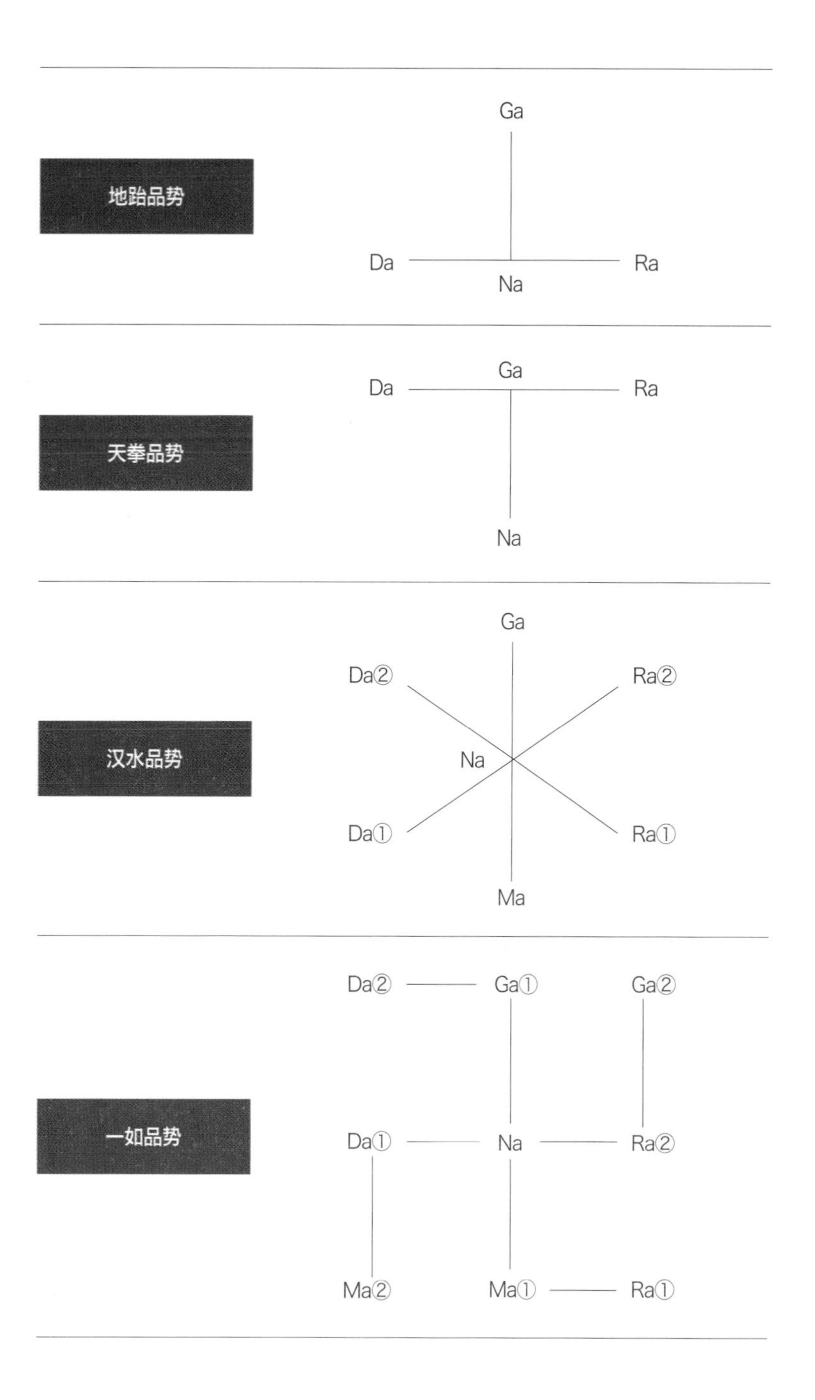
地跆品势
Ga
Da
Ra
Na
天拳品势
Ga
Da
Ra
Na
汉水品势
Ga
Da②
Ra②
Na
Da①
Ra①
Ma
一如品势
Da②
Ga①
Ga②
Da①
Na
Ra②
Ma②
Ma①
Ra①

2 品势的类型

1 有级者品势

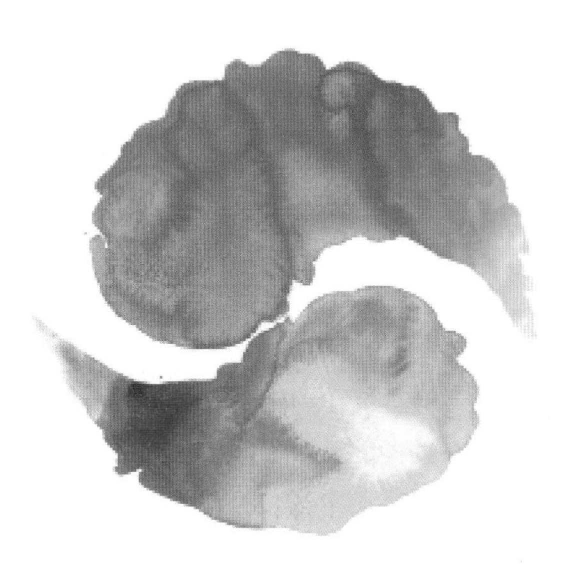

太极品势的意义

根据东方哲学, 太极代表了宇宙变化所遵循的原则。人类也是遵循这一原则的微观世界。因此, 一开始的静止状态——没有任何东西被创造的状态——被称为无极, 而太极则指的是宇宙中开始发生变化的时间。通过阴阳等主要力量的运动, 太极向四个方向扩散: 后, 前, 左, 右, 这些被表示为八卦, 即, 具有独特属性和方向的八种基本力量。

在太极品势中, 无极 (静止) 对应于准备姿势, 这意味着无心, 或者说一片空灵。太极品势之所以包含八章, 是因为它是一个学习八卦或八卦所代表的八种基本力量的过程。因此, 尽管太极品势被分为八章, 但它是一个逐渐的系统练习层次, 其中来自八个层次的八种力量相互作用, 并处于无尽变化的状态。

阳代表了积极和正面的性质, 在太极形式中执行技术时, 区分实线"▬▬"阳和虚线"▬ ▬"阴。如果修炼者在图案中的一条水平线上向前迈出一步, 那么线是实心的 (阳)。如果没有向前迈出一步, 那么线就变成了破裂的 (阴)。

太极一章

太极一章 对应于乾（天）或天堂，即八卦的第一卦，代表天和光。乾在太极中的阴阳相对行动中指的是阳。它代表标志着所有事物开始的能量。另外，由于乾对应于人体的头部，它暗示了通过第一次品势练习正确理解跆拳道的基本动作和获得技能。

练习目标

太极一章是品势练习的第一阶段，涉及基本动作和如何基于基本技术的连接攻防。在此阶段，修炼者学习如何用直臂或弯臂进行攻击或防守，并通过结合前踢和冲拳来连接技术。这是一个认知阶段，因为不需要移动重心和改变方向，因为手脚的协调、移动重心和理解正确的动作需要大量的练习。

(1) 太极一章品势路线

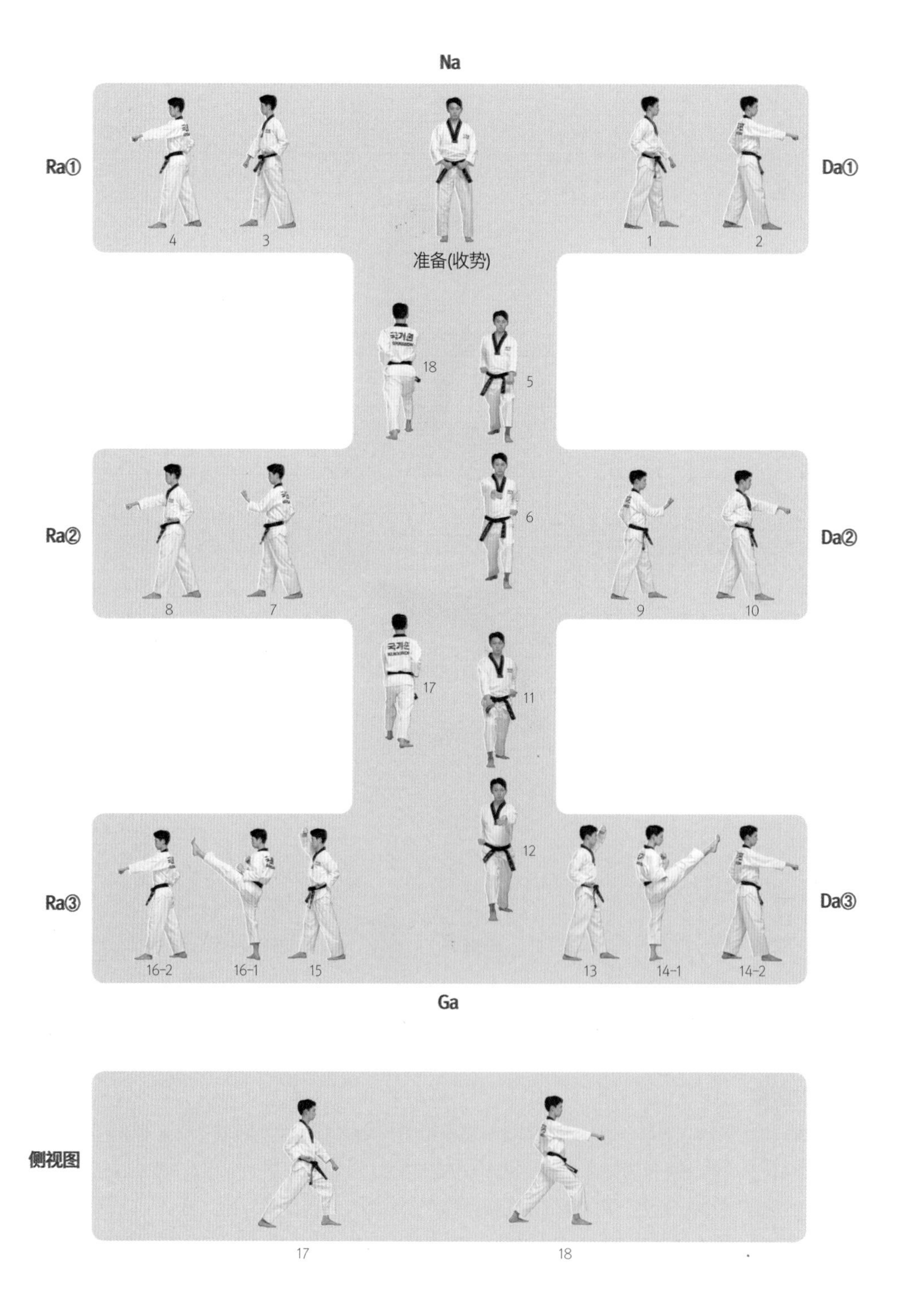
Na
Ra①
Da①
4
3
1
2
准备(收势)
18
5
Ra②
Da②
6
8
7
9
10
17
11
12
Ra③
Da③
16-2
16-1
15
13
14-1
14-2
Ga
侧视图
17
18

(2) 品势说明

顺序	视线	位置	站姿	动作	品名
准备	Ga	Na	并排步	左脚迈开, 双拳自丹田提起, 至胸口后再放下	基本准备
1	Da①	Da①	左前行步	左脚迈步	左下段格挡
2	Da①	Da①	右前行步	右脚迈步	右冲拳
3	Ra①	Ra①	右前行步	右脚以左脚为支点转身	右下段格挡
4	Ra①	Ra①	左前行步	左脚迈步	左冲拳
5	Ga	Ga	左前弓步	左脚以右脚为支点转身	左下段格挡
6	Ga	Ga	左前弓步	原地站姿	右冲拳
7	Ra②	Ra②	右前行步	右脚迈步	左中段格挡
8	Ra②	Ra②	左前行步	左脚迈步	右冲拳
9	Da②	Da②	左前行步	左脚以右脚为支点逆时针转身	右中段格挡
10	Da②	Da②	右前行步	右脚迈步	左冲拳
11	Ga	Ga	右前弓步	以左脚为支点顺时针转身, 右脚迈步	右下段格挡
12	Ga	Ga	右前弓步	原地站姿	左冲拳
13	Da③	Da③	左前行步	左脚迈步	左上段格挡
14	Da③	Da③	右前行步	右脚前踢并迈步	右冲拳
15	Ra③	Ra③	右前行步	右脚以左脚为支点顺时针转身	右上段格挡
16	Ra③	Ra③	左前行步	左脚前踢并迈步	左冲拳
17	Na	Na	左前弓步	左脚以右脚为支点转身	左下段格挡
18	Na	Na	右前弓步	右脚迈步	右冲拳 发声
收势	Ga	Na	并排步	左脚以右脚为支点逆时针转身	基本准备(收势)

(3) 本文

准备

在 “Na” 的位置上,
面向 “Ga” 的方向做
基本准备

“Da①” 方向

左脚迈步做左前行步,
左下段格挡

“Da①” 方向

右脚迈步做右前行步,
右手冲拳

“Ra①” 方向

以左脚为支点顺时针转身,
右脚迈步做右前行步,
右下段格挡

“Ra①” 方向

左脚迈步做左前行步,
左手冲拳

"Ga" 方向

以右脚为支点逆时针转身,
左脚迈步做左前弓步,
左下段格挡

"Ga" 方向

双脚同位,
左脚 (原地站姿) 做左前弓步,
右手冲拳

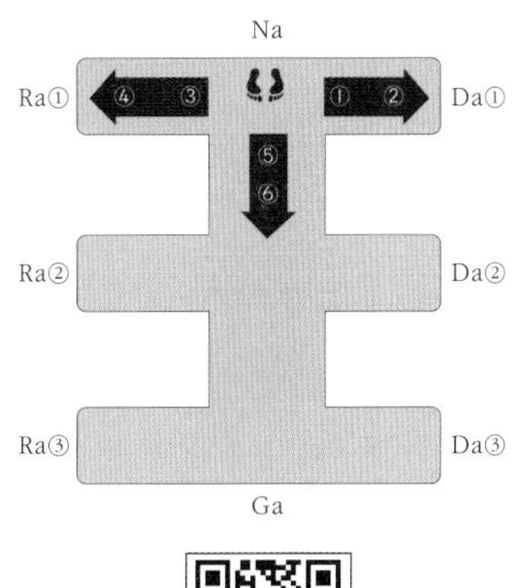

“Ra②” 方向

以左脚为支点,
右脚迈步做右前行步,
左中段格挡

“Ra②” 方向

左脚迈步做左前行步,
右手冲拳

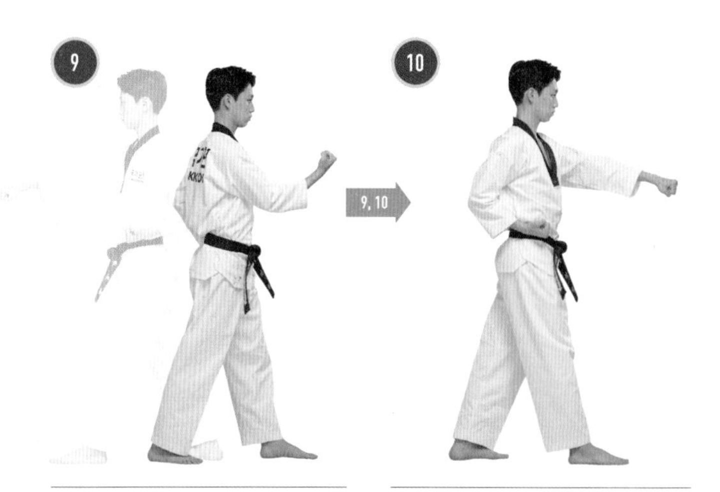

“Da②” 方向

以右脚为支点逆时针转身,
左脚迈步做左前行步,
右中段格挡

“Da②” 方向

右脚迈步做右前行步,
左手冲拳

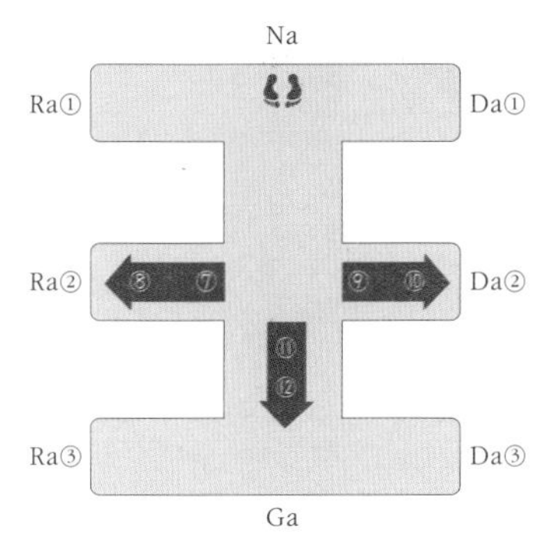

"Ga" 方向

以左脚为支点顺时针转身,
右脚迈步做右前弓步,
右下段格挡

"Ga" 方向

双脚同位,
右脚(原地站姿)做右前弓步,
左手冲拳

“Da③” 方向
左脚迈步做左前行步,
左上段格挡

“Da③” 方向
右脚前踢并迈步

“Da③” 方向
右前行步, 右手冲拳
※ 前踢和冲拳动作需连贯。

“Ra③” 方向
左前行步, 左手冲拳
※ 前踢和冲拳动作需连贯。

“Ra③” 方向
左脚前踢并迈步

“Ra③” 方向
以左脚为支点顺时针转身,
右脚迈步做右前行步,
右上段格挡

18 **发声**

“Na” 方向

右脚迈步做右前弓步,
右手冲拳

侧视图

收势

收势

左脚以右脚为支点逆时针转身,
面向 “Ga” 的方向
并排步基本准备(收势)

※ 第 17 步和第 18 步的姿势高度相同。

17

“Na” 方向

以右脚为支点顺时针转身,
左脚迈步做左前弓步,
左下格挡

侧视图

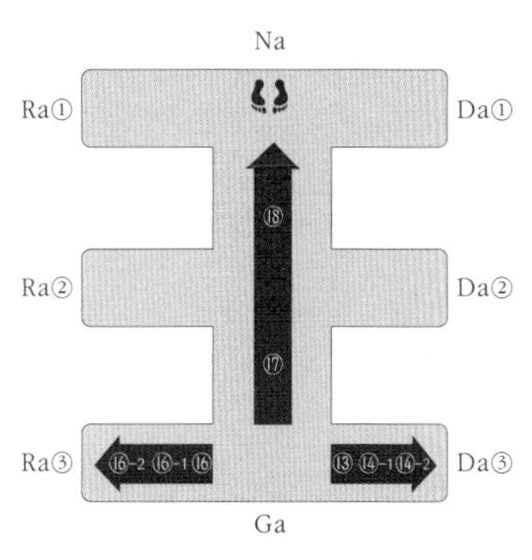

太极二章

太极二章 代表太极中的“兑”。在字面上，“兑”意味着一个表面平静的池塘。当应用于人体时，它意味着控制呼吸和情绪。在练习品势的过程中，你需要把你的气场集中在丹田，它不应因为动作而散发到身体外部。无论你如何掌握技术，如果不能控制呼吸和情绪，准确地进攻和防御都是困难的。因此，修炼者应该像一个平静但深沉的池塘一样训练品势，达到“外柔内刚”的境地。

练习目标

太极二章几乎与太极一章的技术集合相同。然而，太极一章在前行步中保持一定的姿势高度以发力，而太极二章则通过使用前弓步和上段冲拳技术，降低重心以在行走姿势中产生力量，并通过稳定肩部和肩胛骨来增加重量。此外，修炼者必须更系统地练习连续的左右前踢和冲拳动作。

(1) 太极二章品势线

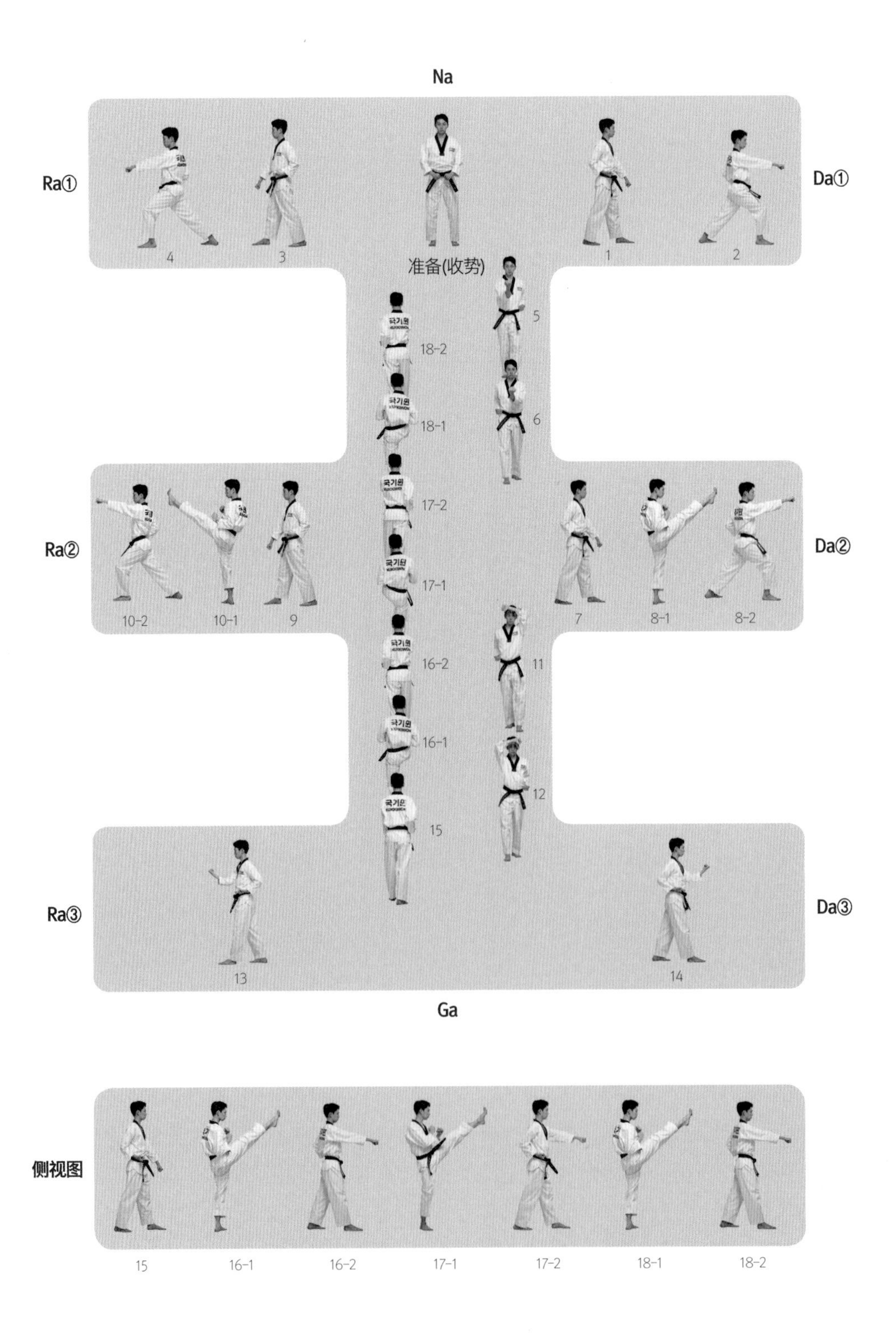
Na
Ra①
Da①
4
3
1
2
准备(收势)
5
18-2
18-1
6
Ra②
Da②
17-2
17-1
10-2
10-1
9
7
8-1
8-2
16-2
11
16-1
12
15
Ra③
Da③
13
14
Ga
侧视图
15
16-1
16-2
17-1
17-2
18-1
18-2

(2) 品势说明

顺序	视线	位置	站姿	动作	品名
准备	Ga	Na	并排步	左脚张开, 双拳自丹田提起, 至胸口后再放下	基本准备
1	Da①	Da①	左前行步	左脚迈步	左下段格挡
2	Da①	Da①	右前弓步	右脚迈步	右冲拳
3	Ra①	Ra①	右前行步	右脚以左脚为支点转身	右下段格挡
4	Ra①	Ra①	左前弓步	左脚迈步	左冲拳
5	Ga	Ga	左前行步	左脚以右脚为支点转身	右中段格挡
6	Ga	Ga	右前行步	右脚迈步	左中段格挡
7	Da②	Da②	左前行步	左脚迈步	左下段格挡
8	Da②	Da②	右前弓步	右脚前踢并迈步	右上段冲拳
9	Ra②	Ra②	右前行步	右脚以左脚为支点转身	右下段格挡
10	Ra②	Ra②	左前弓步	左脚前踢并迈步	左上段冲拳
11	Ga	Ga	左前行步	左脚以右脚为支点转身	左上段格挡
12	Ga	Ga	右前行步	右脚迈步	右上段格挡
13	Ra③	Ra③	左前行步	左脚以右脚为支点转身	右中段格挡
14	Da③	Da③	右前行步	以左脚为支点顺时针转身, 右脚迈步	左中段格挡
15	Na	Na	左前行步	左脚迈步	左下段格挡
16	Na	Na	右前行步	右脚前踢并迈步	右冲拳
17	Na	Na	左前行步	左脚前踢并迈步	左冲拳
18	Na	Na	右前行步	右脚前踢并迈步	右冲拳 发声
收势	Ga	Na	并排步	以右脚为支点逆时针转身, 左脚迈步	基本准备(收势)

(3) 本文

准备

在 “Na” 的位置上,
面向 “Ga” 的方向做
基本准备

“Da①” 方向

左脚迈步做左前行步,
左下段格挡

“Da①” 方向

右脚迈步做右前弓步,
右手冲拳

“Ra①” 方向

以左脚为支点逆时针转身,
右脚迈步做右前行步,
右下段格挡

“Ra①” 方向

左脚迈步做左前弓步,
左手冲拳

5 6

“Ga” 方向

以右脚为支点逆时针转身,
左脚迈步做左前行步,
右中段格挡

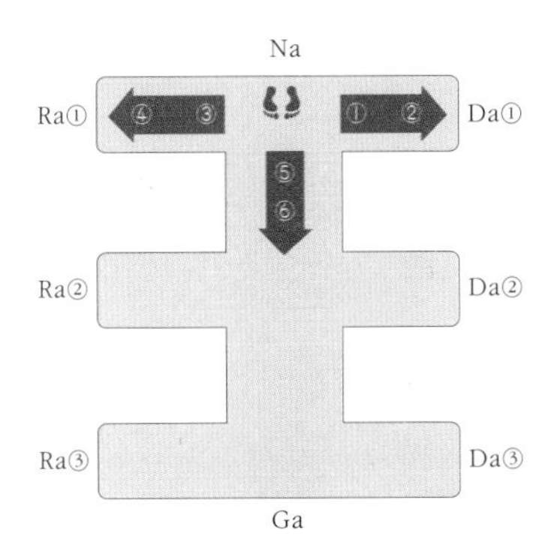

“Ga” 方向

右脚迈步做右前行步,
左中段格挡

“Da②”方向

以右脚为支点,
左脚迈步做左前行步,
左下段格挡

“Da②”方向

右脚前踢并迈步

“Da②”方向

右前弓步, 右上段冲拳

※ 前踢和上段冲拳动作需连贯。

“Ra②”方向

左前弓步,
左上段冲拳

※ 前踢和上段冲拳动作需无缝连接。

“Ra②”方向

左脚前踢并迈步

“Ra②”方向

右脚以左脚为支点顺时针转身,
做右前行步,
右下段格挡

“Ga” 方向

以右脚为支点逆时针转身,
左脚迈步做左前行步,
左上段格挡

“Ga” 方向

右脚迈步做右前行步,
右上段格挡

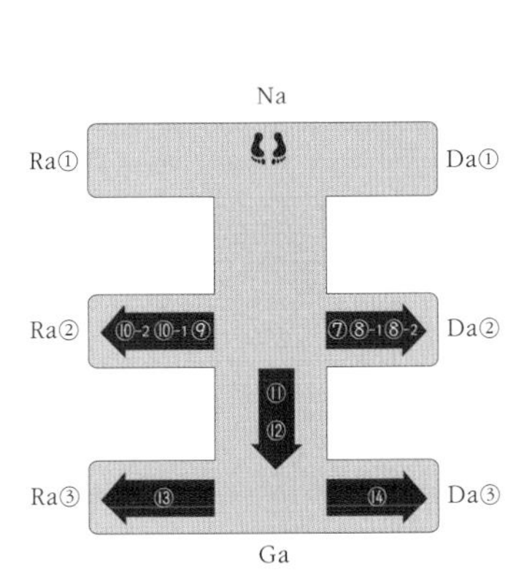

“Ra③” 方向

以右脚为支点逆时针转身,
左脚迈步做左前行步,
右中段格挡

“Da③” 方向

以左脚为支点顺时针转身,
右脚迈步做右前行步,
左中段格挡

“Na”方向

以右脚为支点,
左脚迈步做左前行步,
左下段格挡

“Na”方向

右脚前踢并迈步

“Na”方向

右前行步,
右手冲拳

侧视图

"Na" 方向
左脚前踢并迈步

"Na" 方向
左前行步,
左手冲拳

侧视图

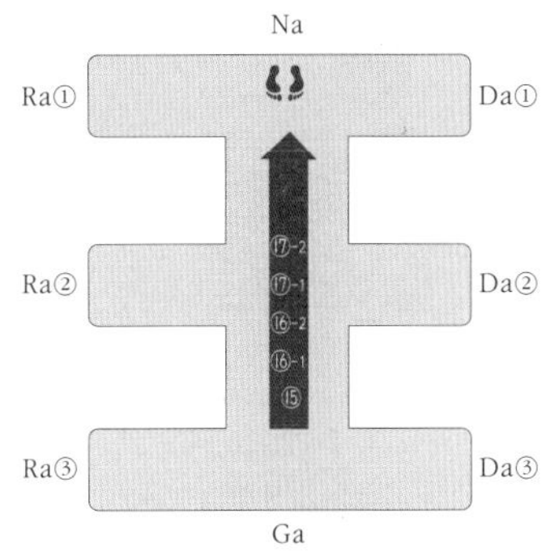

“Na” 方向

右脚前踢并迈步

“Na” 方向

右前行步, 右手冲拳

收势

右脚保持在 “Na” 的位置,
以右脚为支点逆时针转身,
面向 “Ga” 的方向做并排步基本收势

侧视图

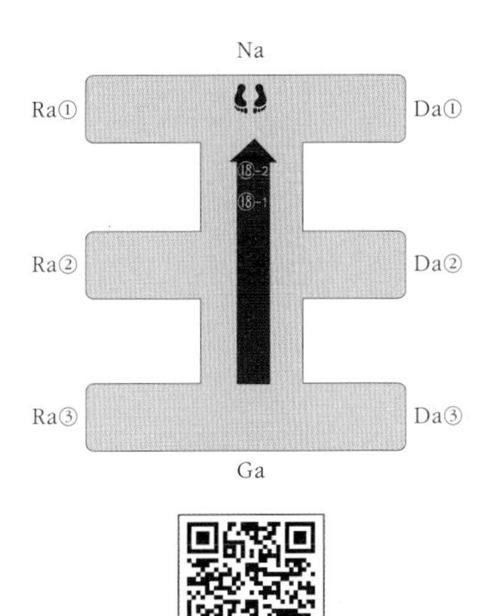
Na
Ra①
Da①
⑱-2
⑱-1
Ra②
Da②
Ra③
Da③
Ga

太极三章

太极三章 代表八卦中的“离”。离象征着火和光明，如同太阳。它对应人体中的心脏，进一步指向培养勇敢心态的过程。如果你看火的性质，它从一小点火星开始，迅速蔓延，瞬间燃烧一切，这种无法控制的力量和无处不在的光，并不有助于品势的练习。太极三章这种练习方法包括准确学习与火和光相应的力量和技术，并通过连接防守和攻击来练习大胆的动作。

练习目标

在太极三章中，你会学习使用手刀外格挡的新技能。它的意义超越了只是松开你的拳头；它意味着攻防的变化。张开你的手让你能通过抓住对手来实施下一个技术。在太极一章和二章中，过程涉及到创造力量。在太极三章中，过程涉及到学习如何通过消除它或通过组合技能抓住并拉扯对手来打破其平衡，从而利用对手的力量。此外，你将练习新的技术，包括从后弓步到前弓步的重心转移，以及连接三个技能（如两次冲拳、前踢）与下格挡和冲拳。

(1) 太极三章品势线

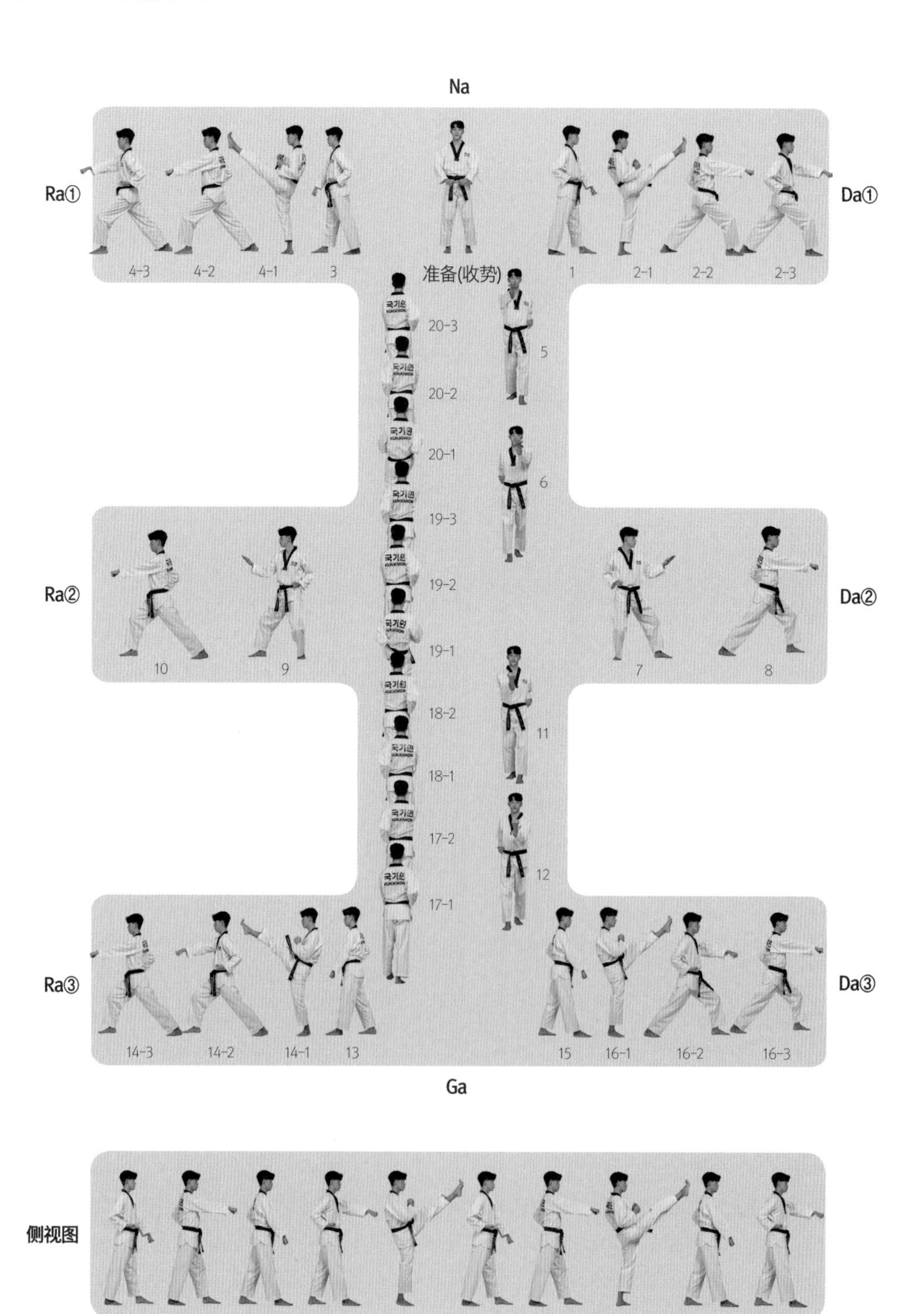
Na
Ra①
Da①
4-3
4-2
4-1
3
准备(收势)
1
2-1
2-2
2-3
20-3
5
20-2
20-1
6
19-3
Ra②
Da②
19-2
19-1
10
9
7
8
18-2
11
18-1
17-2
12
17-1
Ra③
Da③
14-3
14-2
14-1
13
15
16-1
16-2
16-3
Ga
侧视图
17-1
17-2
18-1
18-2
19-1
19-2
19-3
20-1
20-2
20-3

(2) 品势说明

顺序	视线	位置	站姿	动作	品名
准备	Ga	Na	并排步	左脚张开, 双拳自丹田提起, 至胸口后再放下	基本准备
1	Da①	Da①	左前行步	左脚迈步	左下段格挡
2	Da①	Da①	右前弓步	右脚前踢并迈步	两次冲拳
3	Ra①	Ra①	右前行步	右脚以左脚为支点顺时针转身	右下段格挡
4	Ra①	Ra①	左前弓步	左脚前踢并迈步	两次冲拳
5	Ga	Ga	左前行步	左脚以右脚为支点逆时针转身	右手颈部手刀内击
6	Ga	Ga	右前行步	右脚迈步	左手颈部手刀内击
7	Da②	Da②	右后弓步	左脚迈步	左手刀外格挡
8	Da②	Da②	左前弓步	左脚迈步	右冲拳
9	Ra②	Ra②	左后弓步	以左脚为支点顺时针原地转身	右手刀外格挡
10	Ra②	Ra②	右前弓步	右脚迈步	左冲拳
11	Ga	Ga	左前行步	左脚迈步	右中段格挡
12	Ga	Ga	右前行步	右脚迈步	左中段格挡
13	Ra③	Ra③	左前行步	左脚以右脚为支点逆时针转身	左下段格挡
14	Ra③	Ra③	右前弓步	右脚前踢并迈步	两次冲拳
15	Da③	Da③	右前行步	右脚以左脚为支点逆时针转身	右下段格挡
16	Da③	Da③	左前弓步	左脚前踢并迈步	两次冲拳
17	Na	Na	左前行步	左脚以右脚为支点逆时针转身, 做左下格挡	右冲拳
18	Na	Na	右前行步	右脚迈步, 做右下格挡	左冲拳
19	Na	Na	左前行步	左脚前踢并迈步, 做左下格挡	右冲拳
20	Na	Na	右前行步	右脚前踢并迈步, 做右下格挡	左冲拳 发声
收势	Ga	Na	并排步	左脚以右脚为支点逆时针转身	基本准备(收势)

(3) 本文

准备

在 “Na” 的位置上,
面向 “Ga” 的方向做
基本准备

“Da①” 方向

左脚迈步做左前行步,
左下段格挡

“Da①” 方向

右脚前踢并迈步

“Ra①” 方向

左前弓步,
左右两次冲拳

※ 在前踢后的两次冲拳中, 应使用同侧的手开始做冲拳动作。前踢和两次冲拳动作需连贯。

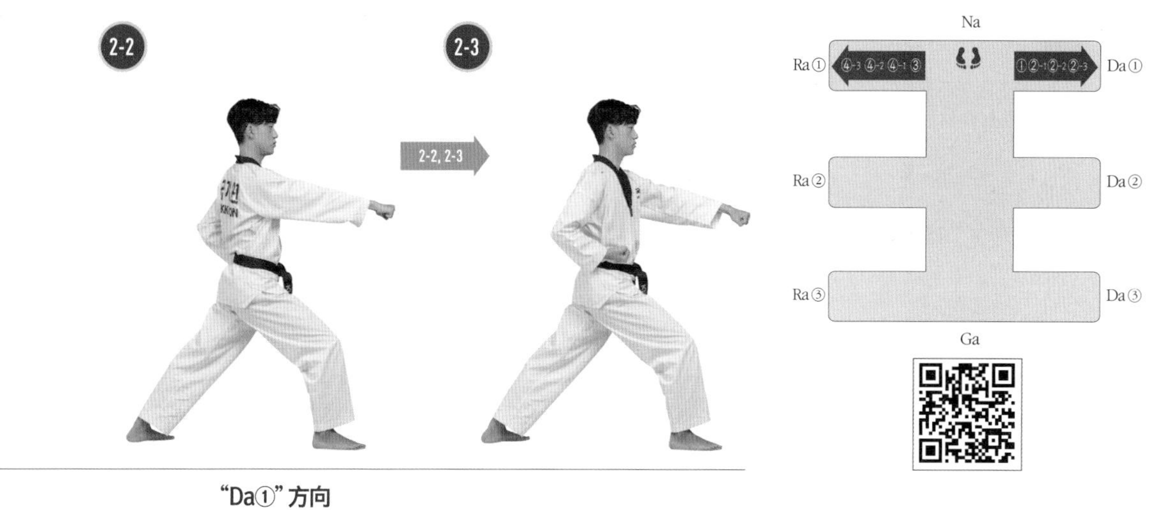

“Da①” 方向

右前弓步,
右左两次冲拳

※ 在前踢后的两次冲拳中, 应使用同侧的手开始做冲拳动作。前踢和两次冲拳动作需连贯。

“Ra①” 方向

左脚前踢并迈步

“Ra①” 方向

以左脚为支点顺时针转身,
右脚迈步做右前行步,
右下段格挡

“Ga” 方向

以右脚为支点逆时针转身,
左脚迈步做左前行步,
右手颈部手刀内击

“Ga” 方向

右脚迈步做右前行步,
左手颈部手刀内击

“Da②” 方向

左脚迈步做右后弓步,
左手刀外格挡

“Da②” 方向

右脚原地不动,
左脚迈步做左前弓步, 右手冲拳

※ 右脚踢地转移重心, 右手冲拳。(站姿高度, 位置不变)

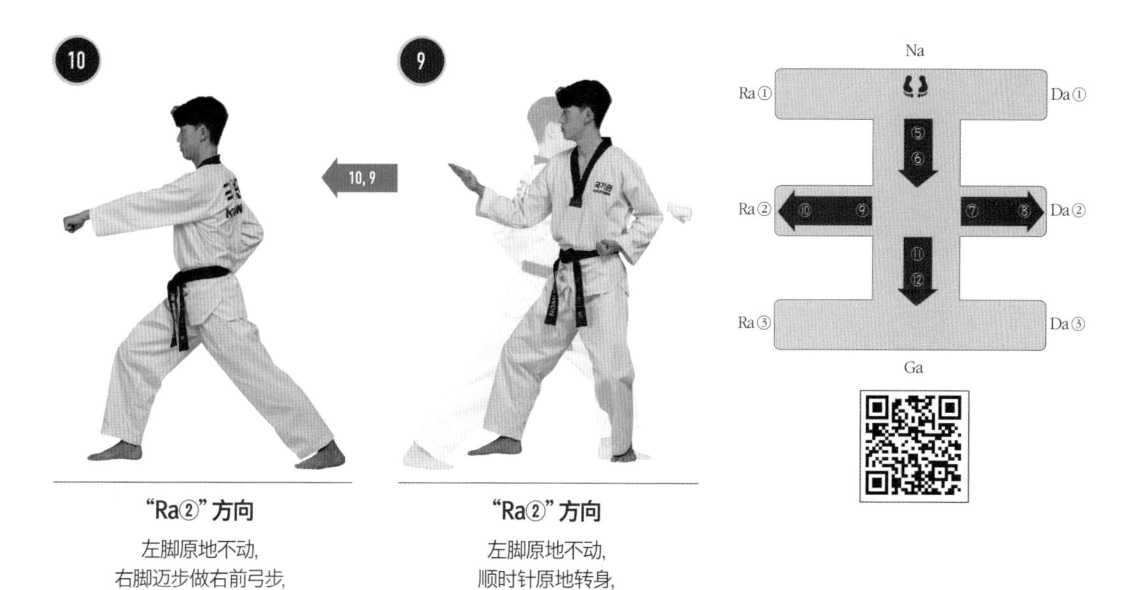

“Ra②” 方向

左脚原地不动,
顺时针原地转身,
做左后弓步, 右手刀外格挡

“Ra②” 方向

左脚原地不动,
右脚迈步做右前弓步,
左手冲拳

※ 在转身步中, 以左脚尖为轴顺时针转身的同时, 用左脚转移重心。右脚向右方移动。

“Ga” 方向

左脚迈步做左前行步,
右中段格挡

“Ga” 方向

右脚迈步做右前行步,
左中段格挡

“Ra③” 方向

右前弓步,
右左两次冲拳

“Ra③” 方向

右脚前踢并迈步

※ 在前踢后的两次冲拳中, 应使用同侧的手开始做冲拳动作。前踢和两次冲拳动作需连贯。

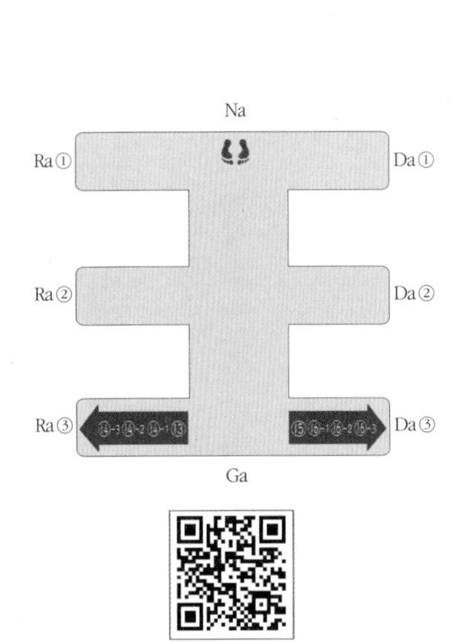

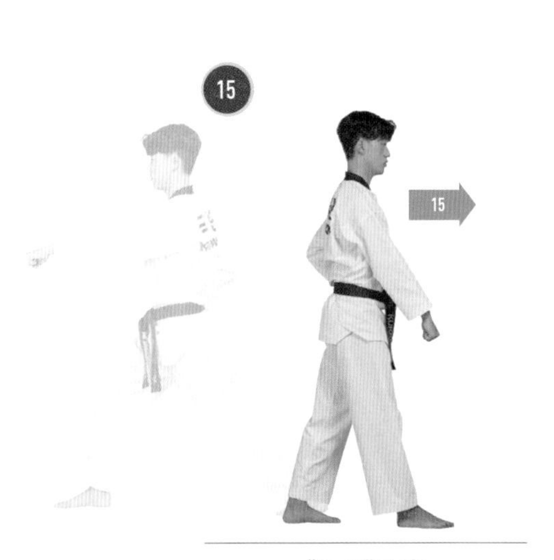

“Da③” 方向

右脚以左脚为支点顺时针转身,
做右前行步,
右下段格挡

"Ra③" 方向

以右脚为支点逆时针转身,
左脚迈步做左前行步,
左下段格挡

"Da③" 方向

左脚前踢并迈步

"Da③" 方向

左前弓步,
左右两次冲拳

※ 在前踢后的两次冲拳中, 应使用同侧的手开始做冲拳动作。前踢和两次冲拳动作需连贯。

17-2

“Na”方向

右手冲拳

侧视图

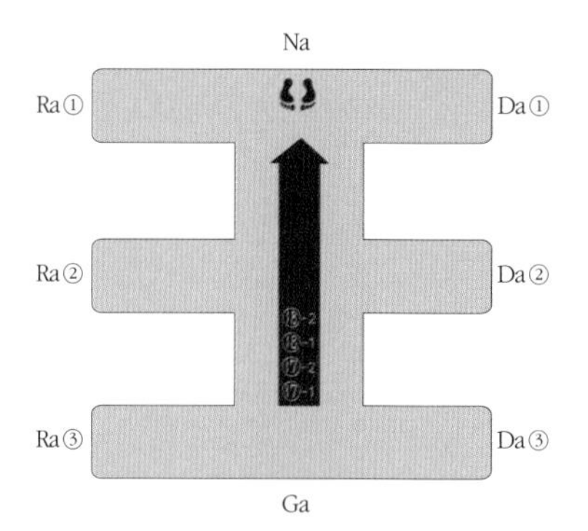

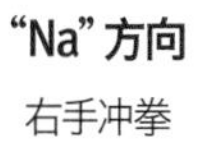

※ 连接 17-1 和 17-2 中的动作。

17-1

“Na”方向

以右脚为支点逆时针转身,
左脚迈步做左前行步,
左下格挡

侧视图

18-2

"Na" 方向

左手冲拳

侧视图

※ 连接 18-1 和 18-2 中的动作。

18-2
18-1

18-1

"Na" 方向

右脚迈步做右前行步,
右下段格挡

侧视图

19-2

“Na”方向

做左前行步,
左下段格挡

侧视图

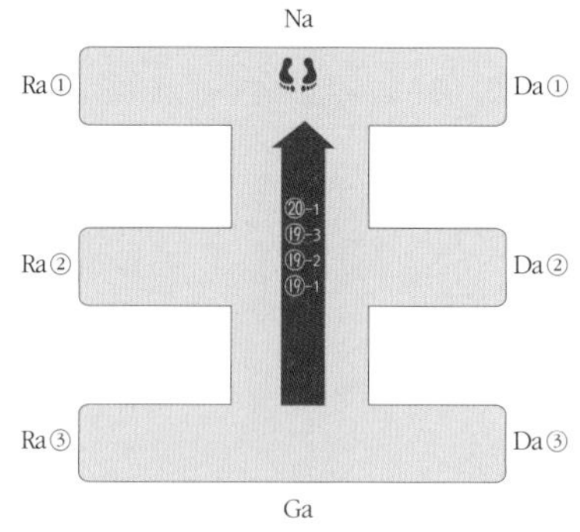

※ 在 19-1、19-2 和 19-3 中，需连接前踢、下格挡和冲拳这三个动作。

19-1

19-2
19-1

“Na”方向

左脚前踢并迈步

侧视图

20-1

“Na” 方向

右脚前踢并迈步

侧视图

19-3

20-1
19-3

“Na” 方向

右手冲拳

侧视图

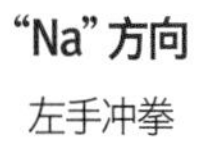

“Na” 方向

左手冲拳

侧视图

收势

右脚原地不动, 在 “Na” 的位置,
以右脚为支点逆时针转身(180度),
面向 “Ga” 的方向做并排步基本收势

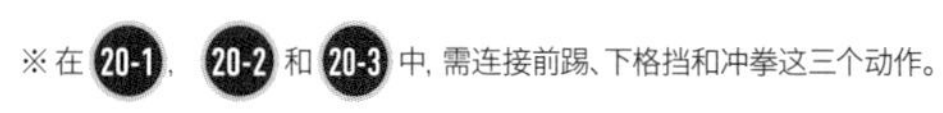

※ 在 20-1, 20-2 和 20-3 中, 需连接前踢、下格挡和冲拳这三个动作。

“Na” 方向

做右前行步,
右下段格挡

侧视图

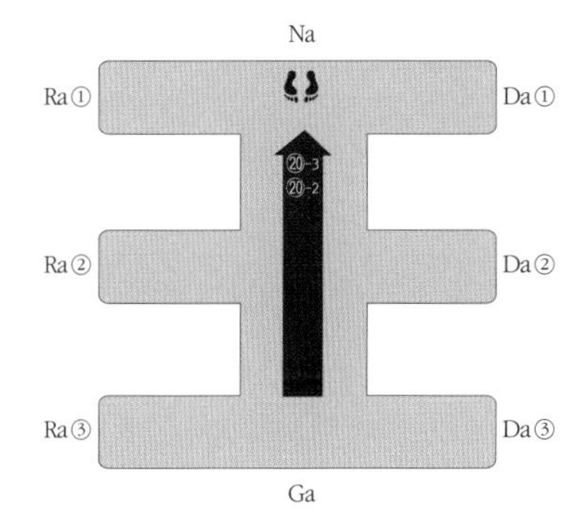
Na
Ra①
Da①
⑳-3
⑳-2
Ra②
Da②
Ra③
Da③
Ga

太极四章

太极四章 代表八卦中的“震”。震象征着瞬间的雷电激荡。

在东方，震被称为天龙。在人体中，它代表了双脚的机动性，有助于快速移动和强有力的踢击。使用你的双脚，你可以扭转你的身体来快速改变方向或发动攻击。这是一个利用与对手的距离进行攻击的过程，就像一条变幻莫测的龙。

练习目标

在太极四章中，首次引入手刀助手外格挡技术，你将学习刺击技能，并学习在侧踢和踢击后如何后退一步以应对反击。通过练习背拳前击面部，你将强化下半身，并学习力量如何从地面传递到肘部，进一步传递到背拳前击面部的动作。手刀助手外格挡象征了手部动作之间的快速连接，以配合使用前后技术，从而学习技术的可扩展性。

(1) 太极四章品势线

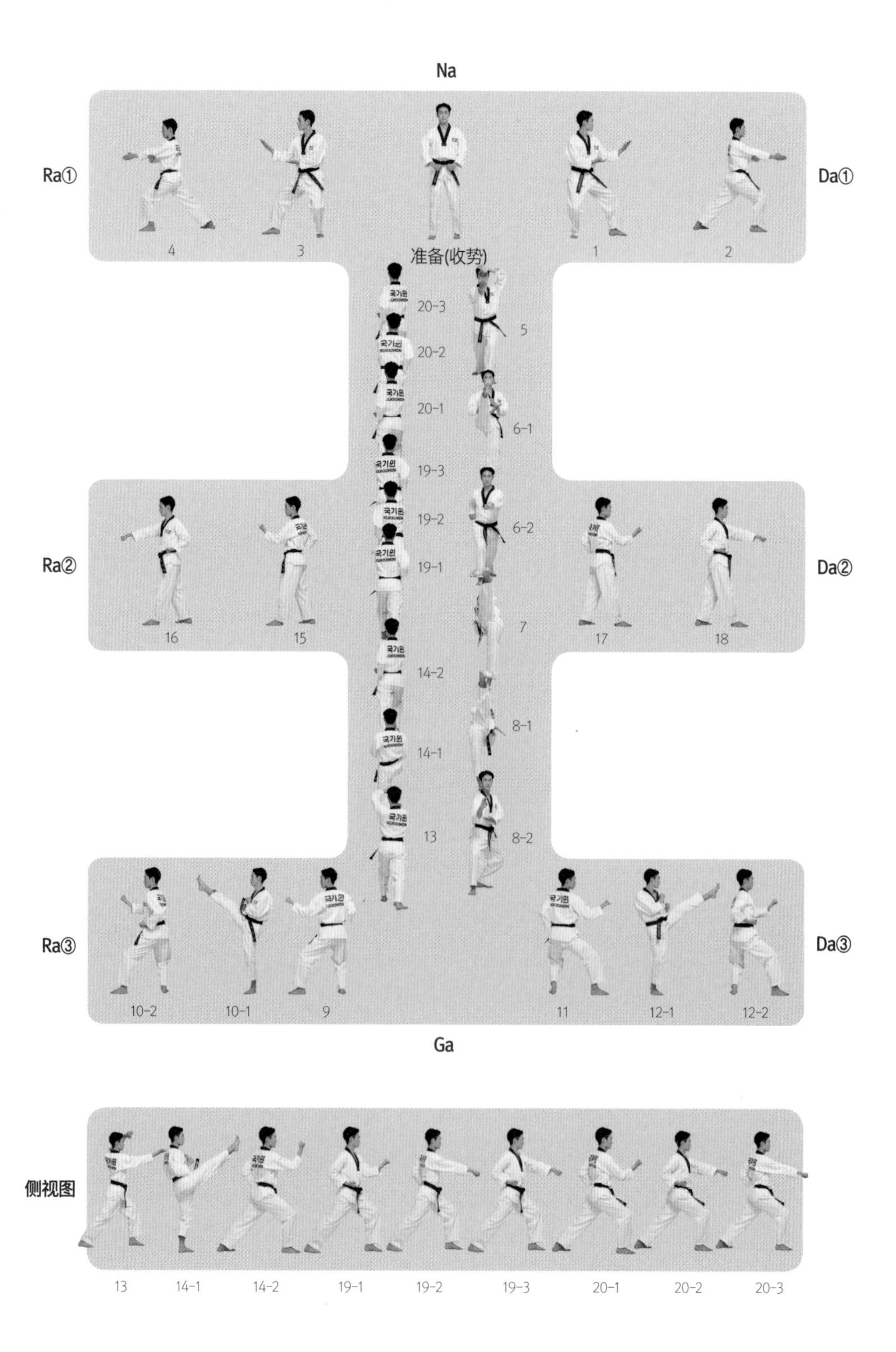
Na
Ra①
Da①
4
3
1
2
准备(收势)
20-3
5
20-2
20-1
6-1
19-3
Ra②
Da②
19-2
6-2
19-1
16
15
17
18
7
14-2
8-1
14-1
13
8-2
Ra③
Da③
10-2
10-1
9
11
12-1
12-2
Ga
侧视图
13
14-1
14-2
19-1
19-2
19-3
20-1
20-2
20-3

(2) 品势说明

顺序	视线	位置	站姿	动作	品名
准备	Ga	Na	并排步	左脚张开, 双拳自丹田提起, 至胸口后再放下	基本准备
1	Da①	Da①	右后弓步	左脚迈步	左手刀助手外格挡
2	Da①	Da①	右前弓步	右脚迈步, 做左下压格挡	右助手立刺击
3	Ra①	Ra①	左后弓步	转动右脚	右手刀助手外格挡
4	Ra①	Ra①	左前弓步	左脚迈步, 做右下压格挡	左助手立刺击
5	Ga	Ga	左前弓步	左脚迈步	颈部右燕手刀内击打
6	Ga	Ga	右前弓步	右脚前踢并迈步	左冲拳
7	Ga	Ga		左侧踢	侧踢
8	Ga	Ga	左后弓步	右脚侧踢并迈步	右手刀助手外格挡
9	Ra③	Ra③	右后弓步	转动左脚	左外格挡
10	Ra③	Ra③	右后弓步	右前踢及原地后退	右中段格挡
11	Da③	Da③	左后弓步	顺时针转身	右外格挡
12	Da③	Da③	左后弓步	左前踢及原地后退	左中段格挡
13	Na	Na	左前弓步	左脚迈步	颈部右燕手刀内击打
14	Na	Na	右前弓步	右脚前踢并迈步	上段背拳前击打
15	Ra②	Ra②	左前行步	以右脚为支点移动左脚	左中段格挡
16	Ra②	Ra②	左前行步	原地站姿	右冲拳
17	Da②	Da②	右前行步	转动右脚	右中段格挡
18	Da②	Da②	右前行步	原地站姿	左冲拳
19	Na	Na	左前弓步	左脚迈步做左中格挡	两次冲拳
20	Na	Na	右前弓步	右脚迈步, 做右中格挡	两次冲拳 发声
收势	Ga	Na	并排步	以右脚为支点逆时针转身	基本准备(收势)

(3) 本文

准备

在“Na”的位置上
面向“Ga”的方向做
基本准备

“Da①”方向

左脚迈步, 做右后弓步,
左手刀助手外格挡

“Da①”方向

右脚迈步,
做右前弓步和右助手立刺击的同时,
做左下压格挡

※ 刺击手臂的臂肘需接触下压格挡的手背。

“Ra①”方向

左脚迈步,
做左前弓步和左助手立刺击的同时,
做右下压格挡

※ 助手立刺击手臂的臂肘需接触下压格挡的手背。

“Ra①”方向

右脚以左脚为支点顺时针转身,
做左后弓步,
右手刀助手外格挡

“Ga” 方向

以右脚为支点逆时针转身,
左脚迈步做左前弓步,
颈部右燕手刀内击打

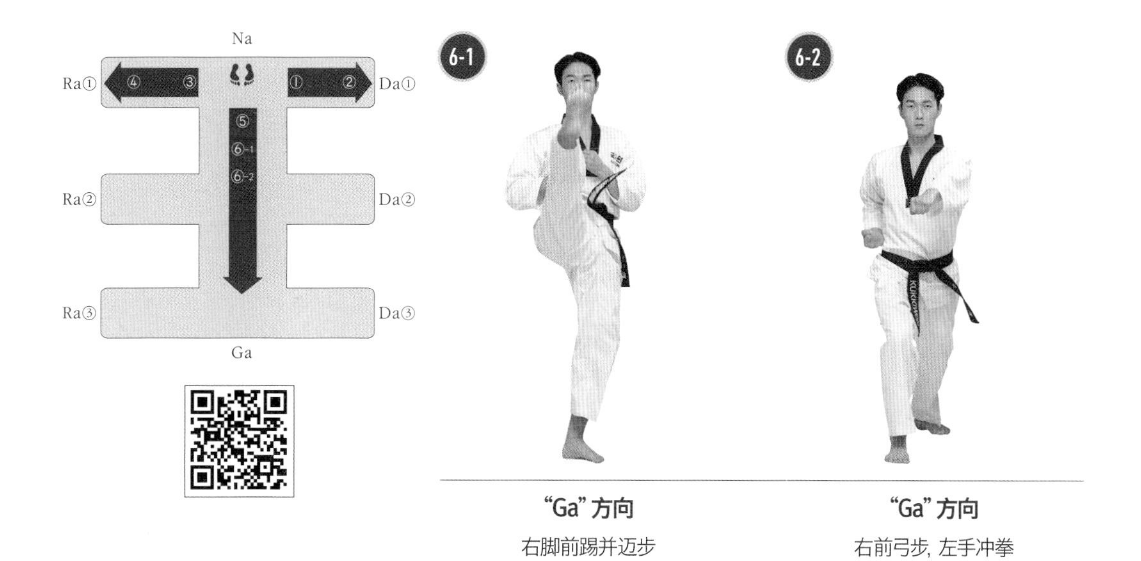

“Ga” 方向

右脚前踢并迈步

“Ga” 方向

右前弓步, 左手冲拳

“Ga” 方向

左侧踢

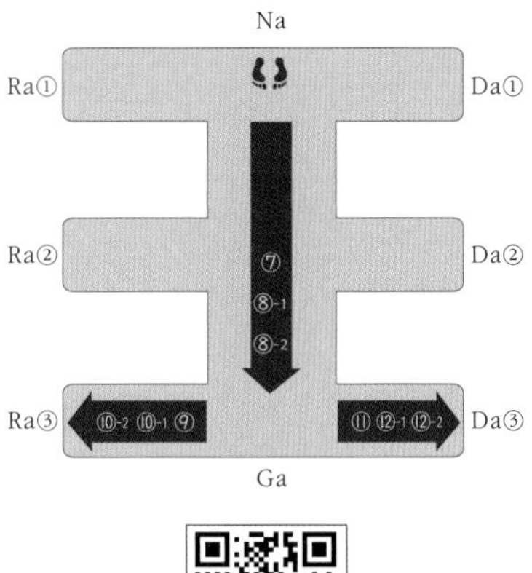

“Ga” 方向

左侧踢后迈步向前做右侧踢

“Ga” 方向

左后弓步, 右手刀助手外格挡

※ 需连接侧踢和手刀助手外格挡这两个动作。

"Ra③" 方向
原地后退,
做右后弓步,
右中段格挡

"Ra③" 方向
右前踢

"Ra③" 方向
以右脚为支点逆时针转身,
左脚迈步做右后弓步,
左外格挡

"Da③" 方向
以左脚为支点顺时针转身,
做左后弓步,
右外格挡

"Da③" 方向
左前踢

"Da③" 方向
原地后退,
做左后弓步,
左中段格挡

※ 做转身步并将重心移向左脚, 右脚向右方移动, 做右外格挡。

“Na”方向

以右脚为支点,
左脚迈步做左前弓步,
颈部右燕手刀内击打

“Na”方向

右脚前踢并迈步

“Na”方向

右前弓步,
上段背拳前击打

侧视图

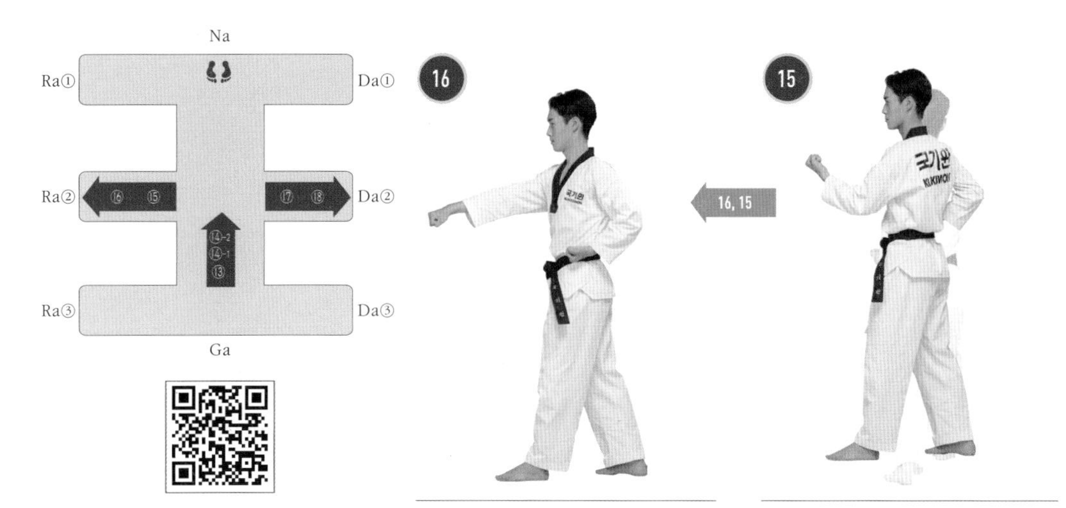

“Ra②”方向

左前行步(原地站姿),
右手冲拳

“Ra②”方向

以右脚为支点,
左脚迈步做左前行步,
左中段格挡

“Da②”方向

以左脚为支点逆时针转身,
右脚迈步做右前行步,
右中段格挡

“Da②”方向

双脚同位,
右脚(原地站姿)做右前行步,
左手冲拳

侧视图

“Na” 方向

右左两次冲拳

※ 连接 19-1、19-2 和 19-3 中的动作。

侧视图

“Na” 方向

左中格挡和右手冲拳

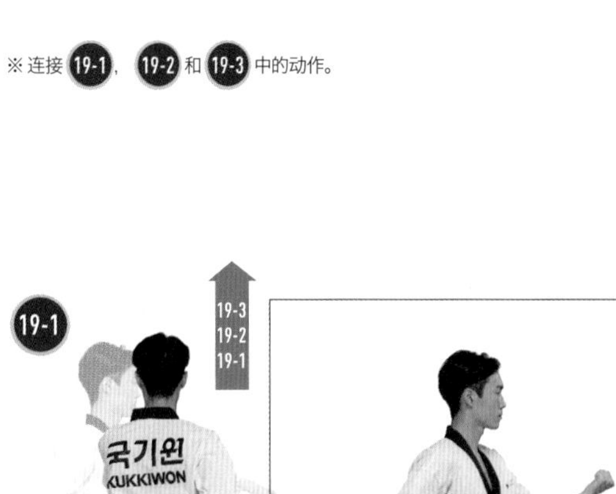

侧视图

“Na” 方向

以右脚为支点，
左脚迈步做左前弓步

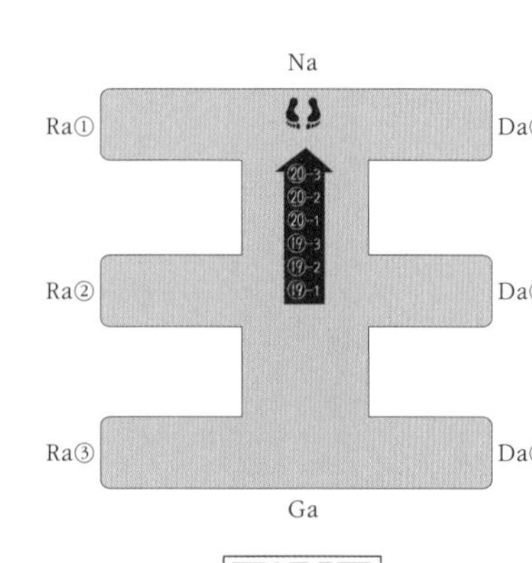

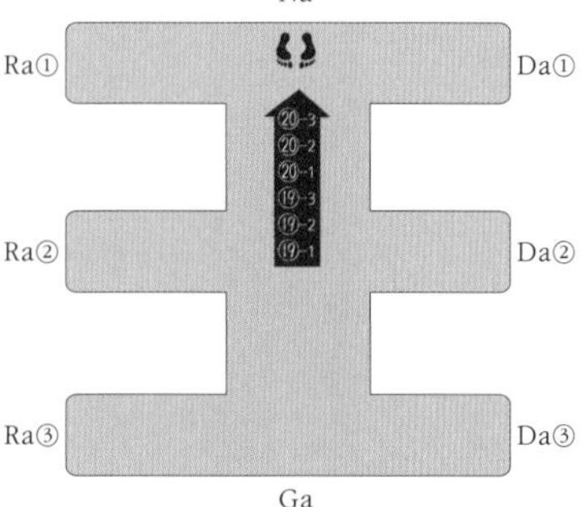

"Na" 方向

左右两次冲拳

侧视图

收势

右脚固定不动,
从 "Na" 的位置逆时针转向,
面向 "Ga" 的方向,
以右脚为支点做并排步基本收势

"Na" 方向

右中格挡和左手冲拳

侧视图

"Na" 方向

右脚迈步, 做右前弓步

侧视图

※ 连接 20-1、20-2 和 20-3 中的动作。

太极五章

太极五章 代表八卦中的“巽”。巽象征风，它温和但可突然变为台风。在人体中，它对应的是骨盆和髋关节。这意味着，练习品势时，骨盆和髋关节周围的肌肉必须放松，以保持稳定和强大的姿势。身体的这一部分是支撑脊柱的基础，有助于采取稳定和灵活的姿势。它也是旋转力和强力踢腿的力量源泉。太极五章涉及用不同姿势练习技术，以像不可预测的台风一样变幻莫测地发挥力量。

练习目标

在太极五章中，你将通过练习使用身体躯干的旋转力的技术，包括锤拳下击打，臂肘助手横击面部等技术；以及包括中格挡在内的从左到右、从外到内连接动作的技术；以及包括背拳前击面部和中格挡在内的同向连接动作的技术。太极五章还涉及练习连接新的技术，如击打和连续动作，以便在实际战斗中使用。其他技术包括锤拳下击打，臂肘助手横击面部，背拳前击面部，臂肘掌前击等等。

(1) 太极五章品势线

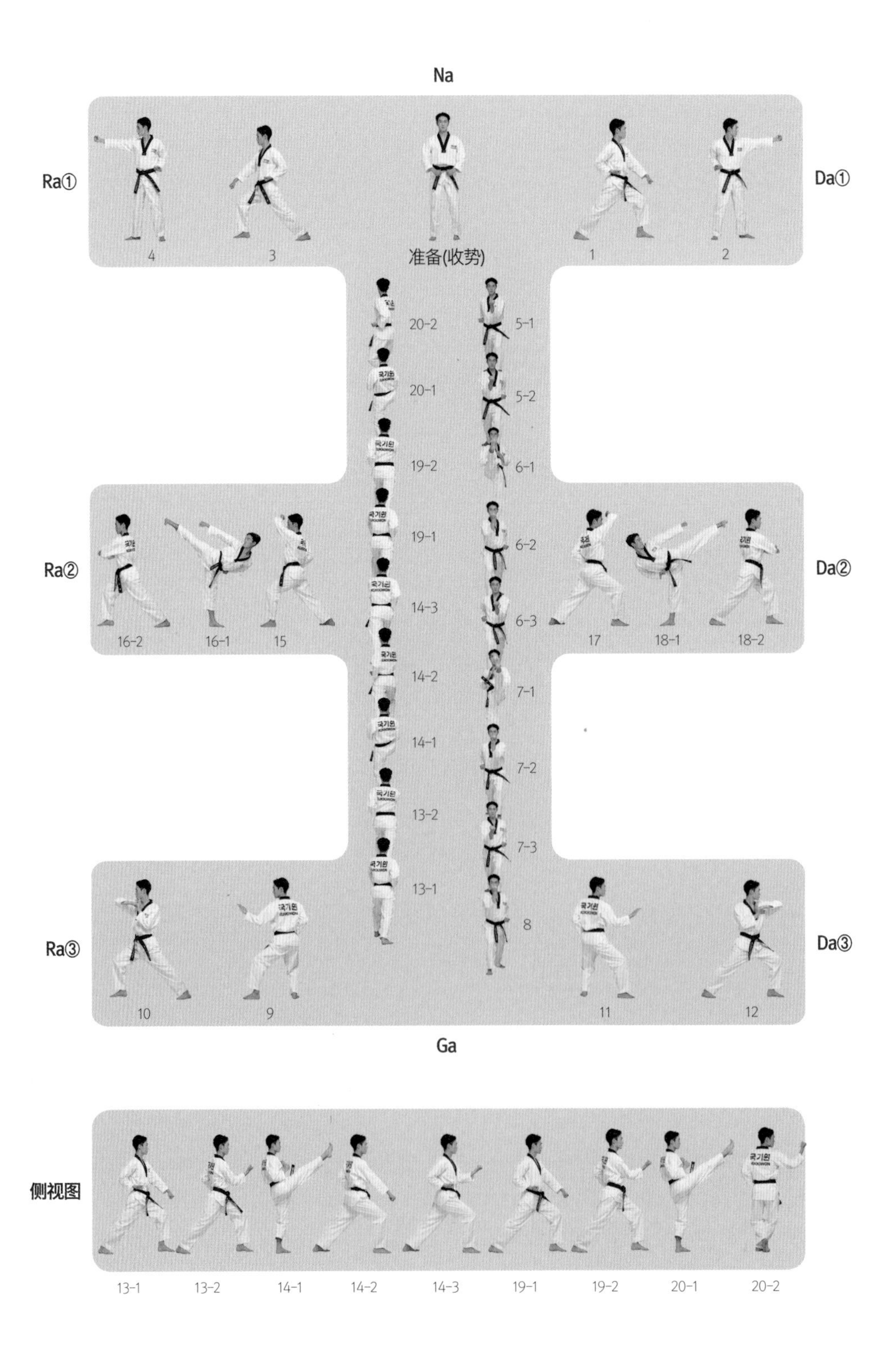
Na
Ra①
Da①
4
3
准备(收势)
1
2
20-2
5-1
20-1
5-2
19-2
6-1
Ra②
Da②
19-1
6-2
14-3
6-3
16-2
16-1
15
17
18-1
18-2
14-2
7-1
14-1
7-2
13-2
7-3
13-1
8
Ra③
Da③
10
9
11
12
Ga
侧视图
13-1
13-2
14-1
14-2
14-3
19-1
19-2
20-1
20-2

(2) 品势说明

顺序	视线	位置	站姿	动作	品名
准备	Ga	Na	并排步	左脚张开，双拳自丹田提起，至胸口后再放下	基本准备
1	Da①	Da①	左前弓步	左脚迈步	左下段格挡
2	Da①	Da①	左站姿	收左脚	左锤拳下击打
3	Ra①	Ra①	右前弓步	转动右脚	右下段格挡
4	Ra①	Ra①	左站姿	收右脚	右锤拳下击打
5	Ga	Ga	左前弓步	左脚迈步做左中格挡	右中段格挡
6	Ga	Ga	右前弓步	右脚前踢并迈步，做上段背拳前击打	左中段格挡
7	Ga	Ga	左前弓步	左脚前踢并迈步，做上段背拳前击打	右中段格挡
8	Ga	Ga	右前弓步	右脚迈步	上段背拳前击打
9	Ra③	Ra③	右后弓步	转动左脚	左手刀外格挡
10	Ra③	Ra③	右前弓步	右脚迈步	手掌助手上段臂肘侧击打
11	Da③	Da③	左后弓步	转动右脚	右手刀外格挡
12	Da③	Da③	左前弓步	左脚迈步	手掌助手上段臂肘侧击打
13	Na	Na	左前弓步	转动左脚做左下格挡	右中段格挡
14	Na	Na	右前弓步	右脚前踢并迈步，做右下格挡	左中段格挡
15	Ra②	Ra②	左前弓步	左脚迈步	左上段格挡
16	Ra②	Ra②	右前弓步	右脚侧踢并迈步	左臂肘掌心前击打
17	Da②	Da②	右前弓步	转动右脚	右上段格挡
18	Da②	Da②	左前弓步	左脚侧踢并迈步	右臂肘掌心前击打
19	Na	Na	左前弓步	转动左脚做左下格挡	右中段格挡
20	Na	Na	左后交叉步	右脚前踢并迈步	上段背拳前击打 发声
收势	Ga	Na	并排步	以右脚为支点逆时针转身	基本准备(收势)

(3) 本文

准备

在 “Na” 的位置上,
面向 “Ga” 的方向做
基本准备

“Da①” 方向

左脚迈步做左前弓步
左下段格挡

“Da①” 方向

重心转移至右脚
收左脚, 保持左站姿
左锤拳下击打

※ 做锤拳下击打时, 应抡拳经过另一侧的臂弯和头部以上,
并将重心移至右脚。保持锤拳与肩同高。

“Ra①” 方向

重心转移至左脚, 收右脚
保持右站姿, 右锤拳下击打

“Ra①” 方向

重心转移至左脚, 右脚移向
“Ra①” 方向
做右前弓步
右下段格挡

※ 做锤拳下击打时, 应抡拳经过另一侧的臂弯和头部以上, 并将重心移至左脚。保持锤拳与肩同高。

Na
Ra① ④ ③ ① ② Da①
⑤-1 ⑤-2 ⑥-1 ⑥-2 ⑥-3
Ra② Da②
Ra③ Da③
Ga

"Ga" 方向
左脚迈步做左前弓步
左中段格挡

"Ga" 方向
随后做右中格挡(原地保持左前弓步)

"Ga" 方向
右脚前踢并迈步

"Ga" 方向
右前弓步, 右背拳击打面部
(人中高度)

"Ga" 方向
左中格挡
(原地保持右前弓步)

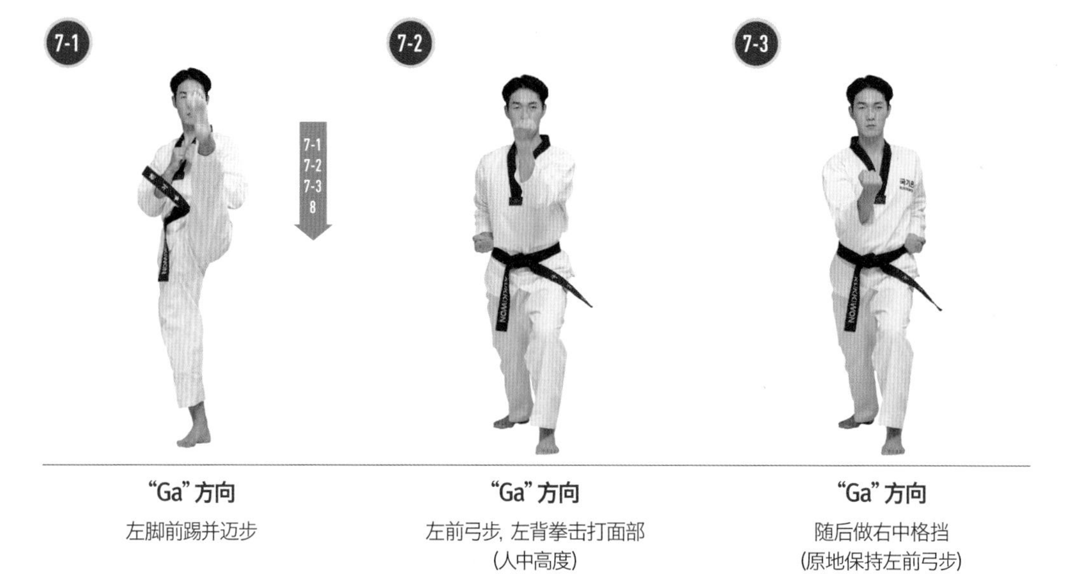

"Ga" 方向
左脚前踢并迈步

"Ga" 方向
左前弓步, 左背拳击打面部
(人中高度)

"Ga" 方向
随后做右中格挡
(原地保持左前弓步)

"Ga" 方向
右脚迈步做右前弓步
右背拳击打面部
(人中高度)

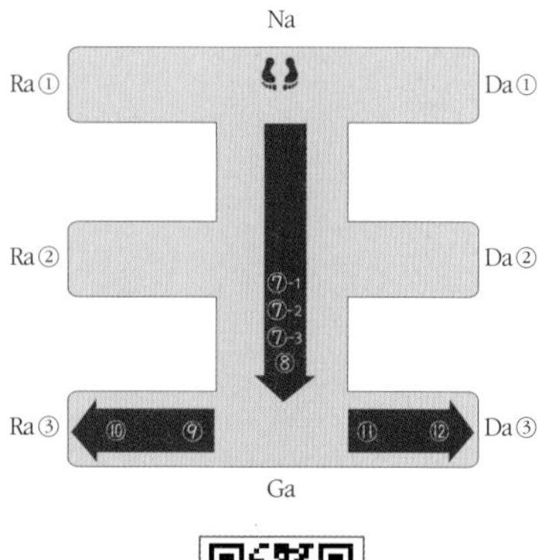

"Ra③" 方向

右脚迈步, 做右前弓步, 做右臂肘
手掌助手上段臂肘侧击打

"Ra③" 方向

以右脚为支点逆时针转身,
左脚迈步做右后弓步,
左手刀外格挡

※ 弯曲右臂肘转身做臂肘横击。同时, 将左掌放在右拳上增加力量。

"Da③" 方向

右脚以左脚为支点顺时针转身,
右脚迈步做左后弓步,
右手刀外格挡

※ 弯曲左臂肘转身做臂肘横击。
同时, 将右掌放在左拳上增加力量。

"Da③" 方向

左脚迈步, 做左前弓步, 做左臂肘
手掌助手上段臂肘侧击打

"Na" 方向

以右脚为支点逆时针转身,
左脚迈步做左前弓步,
左下段格挡

"Na" 方向

随后做右中格挡
(原地保持左前弓步)

侧视图

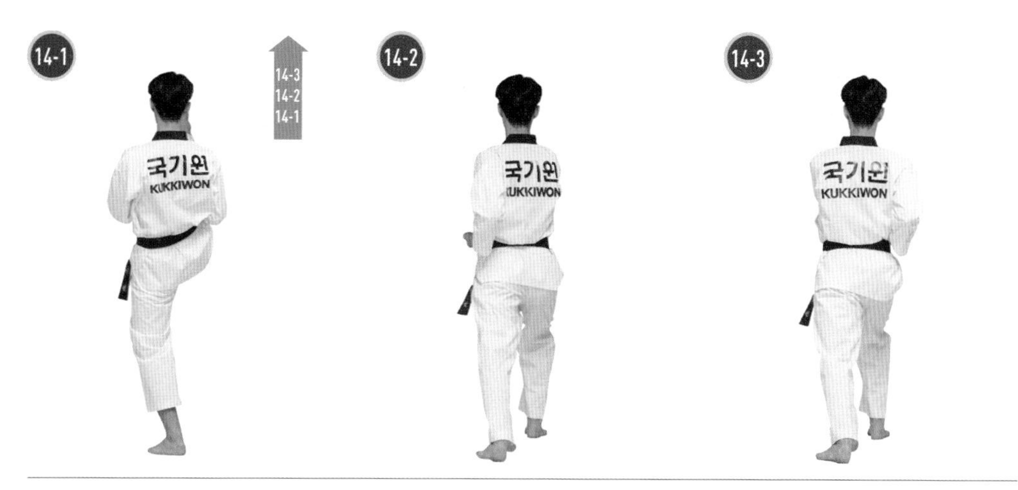

"Na"方向
右脚前踢并迈步

"Na"方向
做右前弓步，右下段格挡

"Na"方向
随后做左中格挡
(原地保持右前弓步)

侧视图

※在 14-1、14-2 和 14-3 中需连接前踢、下格挡和中格挡这三个动作。

“Ra②” 方向
右前弓步
左臂肘掌心前击打

“Ra②” 方向
右脚侧踢并迈步

“Ra②” 方向
以右脚为支点,
左脚迈步做左前弓步,
左上段格挡

※ 在用右脚做侧踢时, 两臂在胸前交叉, 同时做右锤拳外击打(保持右腿与右臂平行)

“Da②” 方向
以左脚为支点顺时针转身,
右脚迈步做右前弓步,
右上段格挡

“Da②” 方向
左脚侧踢并迈步

“Da②” 方向
左前弓步,
右臂肘掌心前击打

※ 在用左脚做侧踢时, 两臂在胸前交叉, 同时做左锤拳外击打(保持左腿与左臂平行)

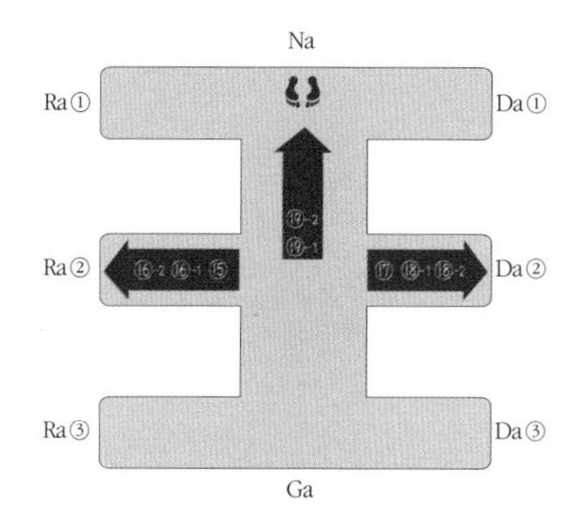

19-2

"Na" 方向

随后做右中格挡
(原地保持左前弓步)

侧视图

※ 在 19-1 和 19-2 中需连接下格挡和中格挡这两个动作。

19-1

"Na" 方向

以右脚为支点逆时针转身,
左脚迈步做左前弓步,
左下段格挡

侧视图

"Na" 方向

做左后交叉步时跺脚，
右背拳击打面部
（人中高度）

侧视图

前视图

※ 跺脚是后脚掌或脚刀踩踏地面的动作。从前面看，右脚需呈45度角。左脚随后放置，保持身体平衡。身体前倾，将力量传给右背拳。
（交叉步角度保持上身的平衡。）

"Na" 方向

右脚前踢并前跳一步

侧视图

收势

从 “Na” 的位置，
以右脚为支点逆时针转身，
面向 “Ga” 的方向，
做基本收势

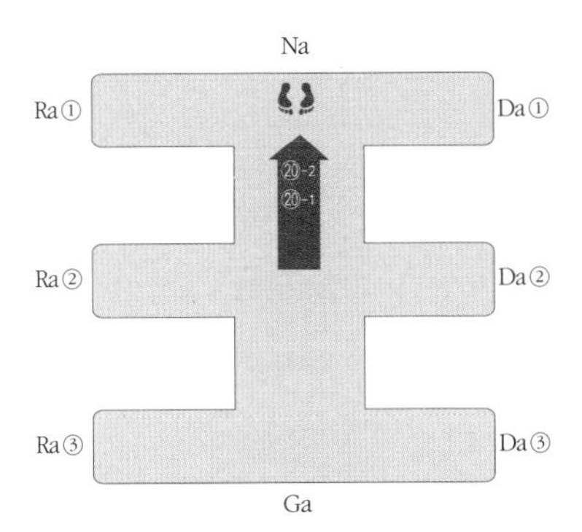

太极六章

太极六章 代表八卦中的“坎”。坎象征流动的水。在人体中，它代表了耳朵，包括听到声音以及感觉到自身周围的力量的坚实和柔和。在这个过程中，你应该了解如何通过像水流过障碍一样轻轻划开对手的力量来进行反击。就像水不断地流动，无论路径的宽度和障碍如何，品势技术也应该无缝连接。然而，有时候水突然下落，形成瀑布。因此，这种练习过程包括全面释放力量和练习，以及明显技术动作之间的连接。

练习目标

在太极六章中，你将学习连接新的动作，包括使用上段手刀斜外格挡和横踢进行防御，同时拉动手腕，以及一种新的技术：向后退步进行防御和反击。后撤步使得可以在阻止对手的攻击或阻挡和抓住对手之后，连接各种技术，包括摁擒或摔法。简而言之，在太极六章中，你练习如何利用对手的力量。

(1) 太极六章品势线

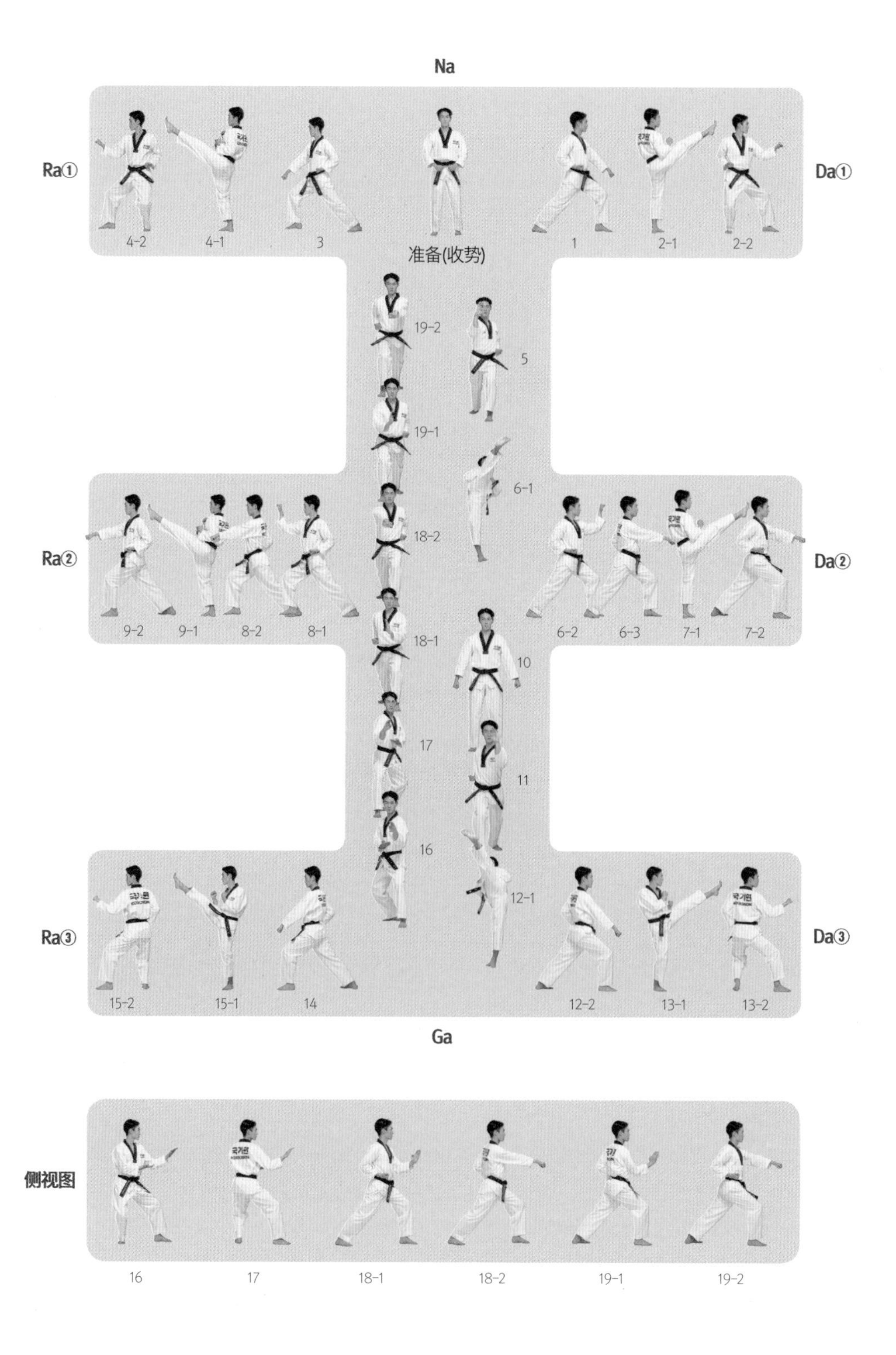
Na
Ra①
Da①
4-2
4-1
3
准备(收势)
1
2-1
2-2
19-2
5
19-1
6-1
Ra②
Da②
18-2
9-2
9-1
8-2
8-1
6-2
6-3
7-1
7-2
18-1
10
17
11
16
12-1
Ra③
Da③
15-2
15-1
14
12-2
13-1
13-2
Ga
侧视图
16
17
18-1
18-2
19-1
19-2

(2) 品势说明

顺序	视线	位置	站姿	动作	品名
准备	Ga	Na	并排步	左脚张开，双拳自丹田提起，至胸口后再放下	基本准备
1	Da①	Da①	左前弓步	左脚迈步	左下段格挡
2	Da①	Da①	右后弓步	右脚前踢并后退一步	左外格挡
3	Ra①	Ra①	右前弓步	转动右脚	右下段格挡
4	Ra①	Ra①	左后弓步	左脚前踢并后退一步	右外格挡
5	Ga	Ga	左前弓步	左脚迈步	右上段手刀斜外格挡
6	Da②	Da②	左前弓步	右脚横踢并迈步，左脚迈步，做左上段外格挡	右冲拳
7	Da②	Da②	右前弓步	右脚前踢并迈步	左冲拳
8	Ra②	Ra②	右前弓步	转动右脚及右上段外格挡	左冲拳
9	Ra②	Ra②	左前弓步	左脚前踢并迈步	右冲拳
10	Ga	Ga	并排步	转动左脚	下段交叉分开格挡
11	Ga	Ga	右前弓步	右脚迈步	左上段手刀斜外格挡
12	Da③	Da③	右前弓步	左脚横踢，发声，迈步，以左脚为支点顺时针转身	右下段格挡
13	Da③	Da③	左后弓步	左脚前踢并后退一步	右外格挡
14	Ra③	Ra③	左前弓步	转动左脚	左下段格挡
15	Ra③	Ra③	右后弓步	右脚前踢并后退一步	左外格挡
16	Ga	Na	右后弓步	转动右脚	左手刀助手外格挡
17	Ga	Na	左后弓步	左脚后退一步	右手刀助手外格挡
18	Ga	Na	左前弓步	右脚后退一步，做左掌根中格挡	右冲拳
19	Ga	Na	右前弓步	左脚后退一步，做右掌根中格挡	左冲拳
收势	Ga	Na	并排步	收右脚	基本准备(收势)

(3) 本文

准备

在 "Na" 的位置上,
面向 "Ga" 的方向做
基本准备

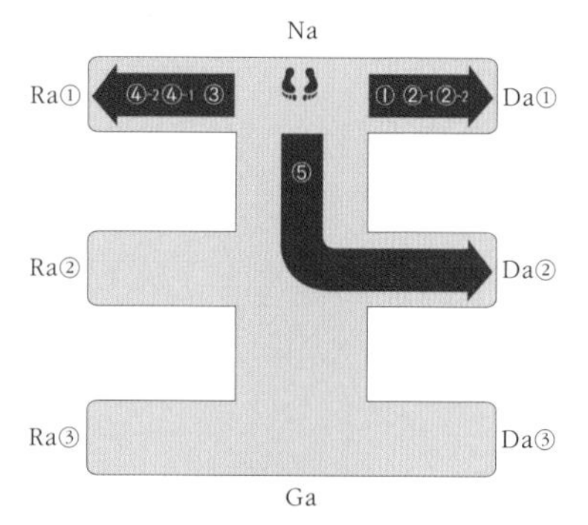

"Da①" 方向

左脚迈步做左前弓步,
左下段格挡

"Da①" 方向

右前踢

"Da①" 方向

右脚后退一步,
做右后弓步,
左外格挡

"Ra①" 方向

右脚以左脚为支点顺时针转身,
做右前弓步, 右下段格挡

"Ra①" 方向

左脚前踢

"Ra①" 方向

左脚后退一步,
做左后弓步,
右外格挡

"Ga" 方向

左脚迈步做左前弓步,
右上段手刀斜外格挡

※ 身体扭转约45度

“Ga” 方向
右脚横踢

“Da②” 方向
左脚向 “Da②” 方向迈出一步半，做左前弓步，左上段外格挡

“Da②” 方向
右手冲拳
(原地保持左前弓步)

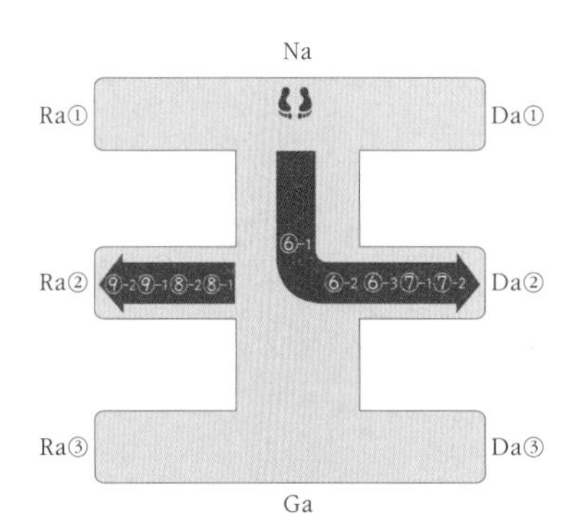

“Ra②” 方向
左脚迈步做左前弓步，右手冲拳

“Da②” 方向
右前踢

“Da②” 方向
右脚迈步做右前弓步,
左手冲拳

“Ra②” 方向
左脚前踢

“Ra②” 方向
随后做左冲拳
(原地保持右前弓步)

“Ra②” 方向
右脚以左脚为支点顺时针转身,
做左前弓步,
右上段外格挡

※ 连接 8-1 和 8-2 中的动作。

"Ga" 方向

面向 "Ga" 方向,
以右脚为支点逆时针转身,
移动 "Da②" 线上的左脚,
以并排步做下段交叉分开格挡

"Ga" 方向

右脚迈步, 做右前弓步, 做左上段手刀
斜外格挡

"Ga" 方向

左脚横踢

下段挣开格挡

※ 缓慢控制呼吸, 同时注意留心周围情况, 以庄重的神情, 根据动作调整呼吸。
(交叉手臂做下段挣开格挡, 注意先以左臂放在右臂之上, 随着手臂向下移动, 变成右上左下。)

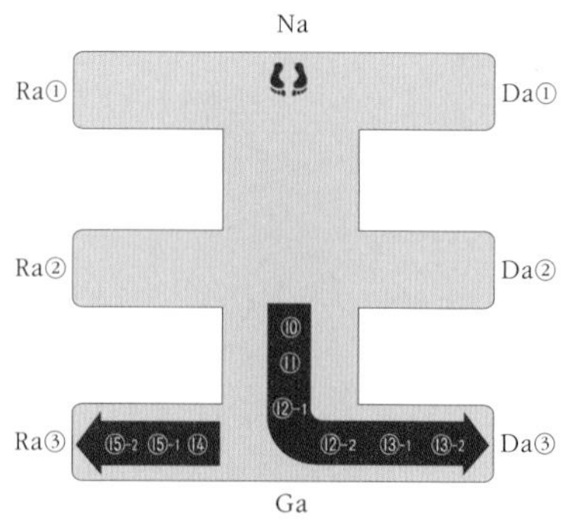

“Da③” 方向

左脚迈出一步半，
以左脚为支点顺时针转身，
右脚迈向 “Da③” 方向做右前弓步，
右下格挡

“Da③” 方向

左脚前踢

“Da③” 方向

左脚后退一步，
做左后弓步，
右外格挡

“Ra③” 方向

右脚后退一步，
做右后弓步，
左外格挡

“Ra③” 方向

右前踢

“Ra③” 方向

以右脚为支点逆时针转身，
左脚迈步做左前弓步，
左下段格挡

侧视图

“Ga” 方向

左脚后退一步, 做左后弓步,
右手刀助手外格挡

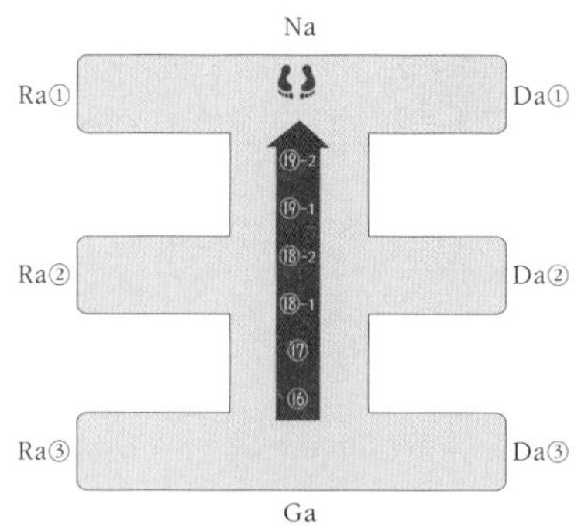

侧视图

“Ga” 方向

以左脚为支点逆时针转身,
做右后弓步,
左手刀助手外格挡

“Ga” 方向

左脚后退一步,
做右前弓步, 右掌根中格挡

“Ga” 方向

随后做左手冲拳

收势

收右脚至 “Na” 位置,
做基本收势

※ 在后退过程中, 将重心移到后脚, 同时旋转中心轴(以脚尖)。

※ 连接 19-1 和 19-2 中的动作。

“Ga” 方向

右脚后退一步
做左前弓步,
左掌根中格挡

“Ga” 方向

右手冲拳(原地保持左前弓步)

太极七章

太极七章 代表八卦中的"艮"。艮象征有蜿蜒山脊和山脉之间联系的强大山脉。在人体中，它代表脊柱，关节和椎骨的屈伸。山不仅仅是一堆土壤；它包括地下水通过其岩石的流动。山土、岩石和地下水分别对应人体中的肌肉、关节、血管和神经。在这个阶段，你应该训练在关节和肌肉的屈伸的有效使用下的发力。

练习目标

虎步是太极七章中的新增站姿。在这种姿势中，你可以在同时练习攻击和防御技术的同时，轻松调整距离和改变方向。此外，你将训练使用两个向不同方向由内而外运动的手臂（剪刀格挡和挣开格挡）和各种击打动作。这些包括背拳前击面部、膝盖上击、背拳外击打面部、臂肘掌前击，短距离攻击方法如上段掌对内摆踢、双拳仰冲拳，助手格挡，连同挣开格挡和交叉格挡是一种提前阻挡对手攻击的技术。在这个阶段学习的其他技术有抱拳，呼吸控制，锻炼接气的流动和保持平静的心态，以及抓住以连接膝盖上击。

(1) 太极七章品势线

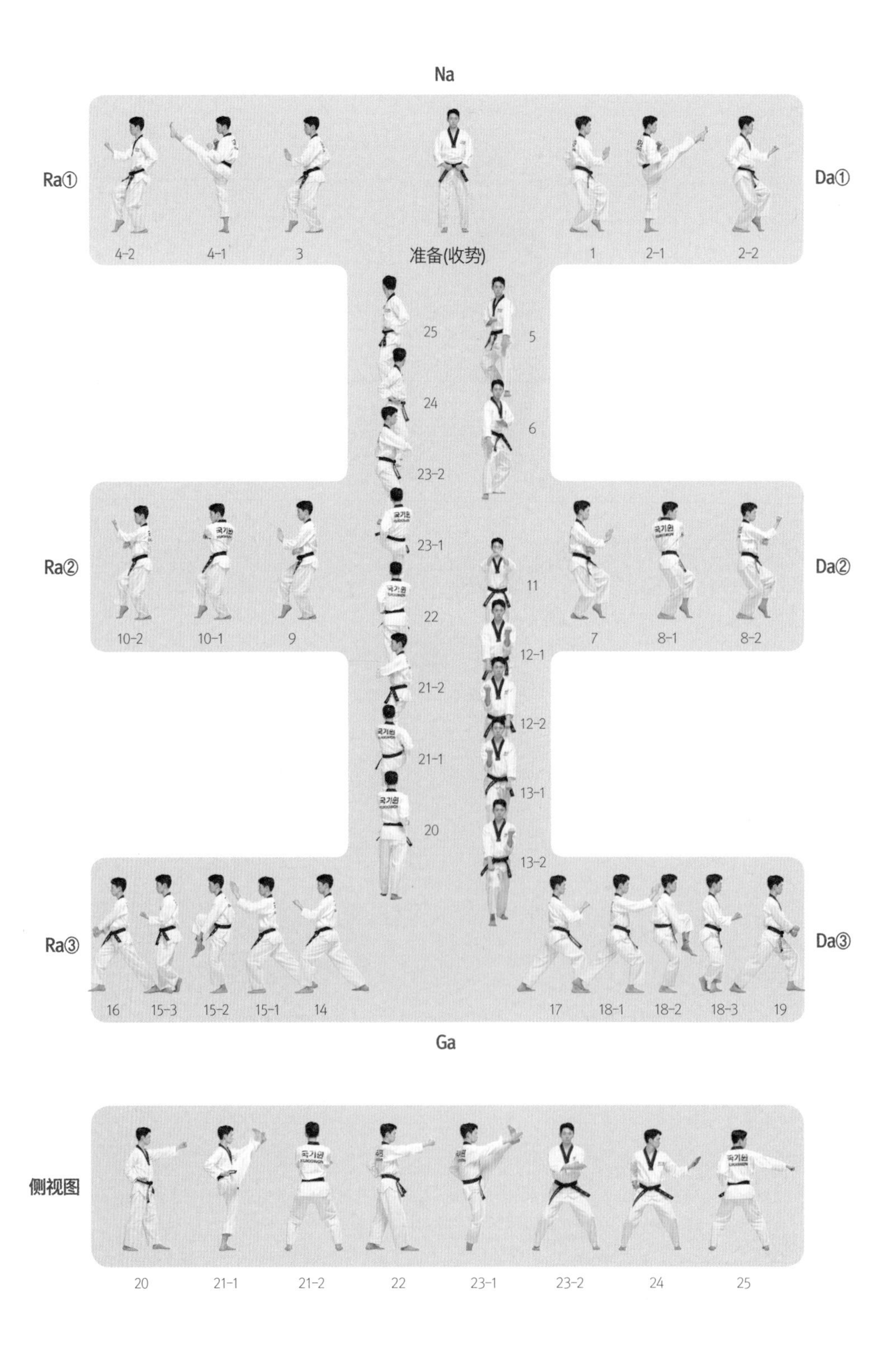
Na
Ra①
Da①
4-2
4-1
3
准备(收势)
1
2-1
2-2
25
5
24
6
23-2
Ra②
Da②
23-1
11
22
10-2
10-1
9
7
8-1
8-2
12-1
21-2
12-2
21-1
13-1
20
13-2
Ra③
Da③
16
15-3
15-2
15-1
14
17
18-1
18-2
18-3
19
Ga
侧视图
20
21-1
21-2
22
23-1
23-2
24
25

(2) 品势说明

顺序	视线	位置	站姿	动作	品名
准备	Ga	Na	并排步	左脚张开, 双拳自丹田提起, 至胸口后再放下	基本准备
1	Da①	Da①	左虎步	左脚迈步	右掌根内格挡
2	Da①	Da①	左虎步	右前踢及原地后退	左中段格挡
3	Ra①	Ra①	右虎步	原地转身	左掌根内格挡
4	Ra①	Ra①	右虎步	左前踢及原地后退	右中段格挡
5	Ga	Ga	右后弓步	左脚迈步	左下段手刀助手格挡
6	Ga	Ga	左后弓步	右脚迈步	右下段手刀助手格挡
7	Da②	Da②	左虎步	左脚迈步	右掌根助手内格挡
8	Da②	Da②	左虎步	原地站姿	右背拳助手上段背拳击打
9	Ra②	Ra②	右虎步	转动右脚	左掌根助手内格挡
10	Ra②	Ra②	右虎步	原地站姿	左背拳助手上段背拳击打
11	Ga	Ga	并步	收左脚, 双脚并步站立	抱拳
12	Ga	Ga	左前弓步	左脚迈步, 做反向剪刀格挡	剪刀格挡
13	Ga	Ga	右前弓步	右脚迈步, 做反向剪刀格挡	剪刀格挡
14	Ra③	Ra③	左前弓步	转动左脚	交叉分开格挡
15	Ra③	Ra③	左后交叉步	右膝盖上击并以右脚跳跃	双拳仰冲拳
16	Ra③	Ra③	右前弓步	左脚后退一步	下交叉格挡
17	Da③	Da③	右前弓步	转动右脚	交叉分开格挡
18	Da③	Da③	右后交叉步	左膝盖上击并以左脚跳跃	双拳仰冲拳
19	Da③	Da③	左前弓步	右脚后退一步	下段交叉格挡
20	Na	Na	左前行步	转动左脚	左背拳外击打面部
21	Ra②	Na	马步	右脚上段掌对内摆踢并迈步	右臂肘掌心前击打
22	Na	Na	右前行步	移动右脚至原位, 收左脚	右背拳外击打面部
23	Da②	Na	马步	左脚上段掌对内摆踢并迈步	左臂肘掌心前击打
24	Na	Na	马步	原地站姿	左手刀侧格挡
25	Na	Na	马步	右脚迈步	右侧冲拳 发声
收势	Ga	Na	并排步	转动左脚	基本准备(收势)

(3) 本文

准备

在 “Na” 的位置上,
面向 “Ga” 的方向做
基本准备

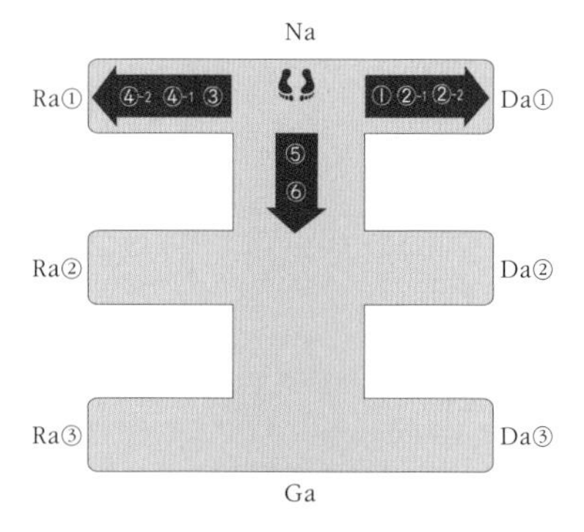

“Da①” 方向
左虎步, 右掌根内格挡

“Da①” 方向
右前踢

“Da①” 方向
原地后退, 做左虎步, 左中段格挡

“Ra①” 方向

以左脚为支点顺时针转身,
做右虎步, 右掌根内格挡

※ 将重心转移到左脚, 做转身步, 然后右脚向右方移动, 完成掌根中段格挡。

“Ra①” 方向

左脚前踢

“Ra①” 方向

原地后退, 做右虎步, 右中段格挡

“Ga” 方向

左脚迈步做右后弓步,
左下段手刀助手格挡

“Ga” 方向

右脚迈步做左后弓步,
右下段手刀助手格挡

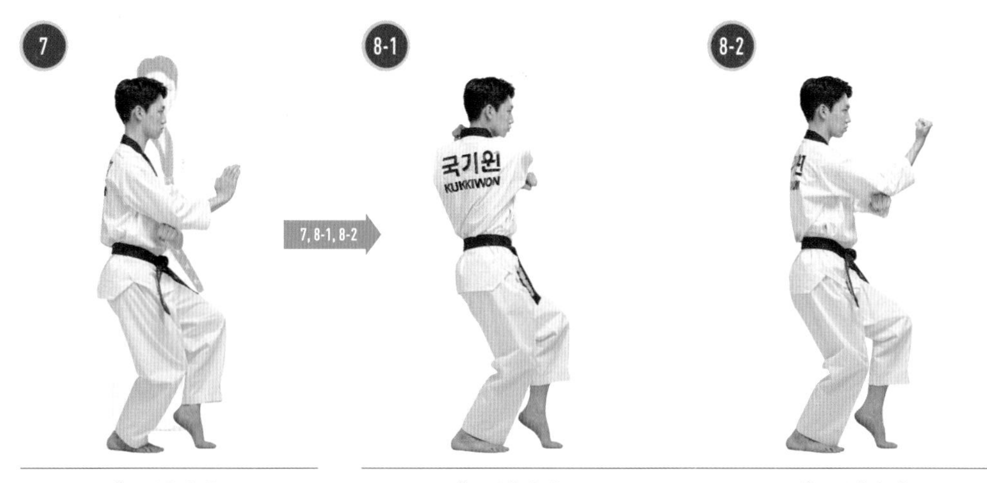

“Da②” 方向

以右脚为支点转身,
左脚迈步做左虎步,
右掌根助手内格挡

“Da②” 方向

身体原地向左转, 握拳

“Da②” 方向

在身体向右转时,
右背拳助手上段背拳击打
(站姿和支撑拳的位置不变)

“Ra②” 方向

在身体向左转时,
左背拳助手上段背拳击打
(站姿和支撑拳的位置不变)

“Ra②” 方向

身体原地向右转, 握拳

“Ra②” 方向

以左脚为支点顺时针转身,
两脚在一条直线上, 做右虎步,
左掌根助手内格挡

※ 将重心转移到左脚, 做转身步, 然后右脚向右方移动, 完成掌根中段格挡。

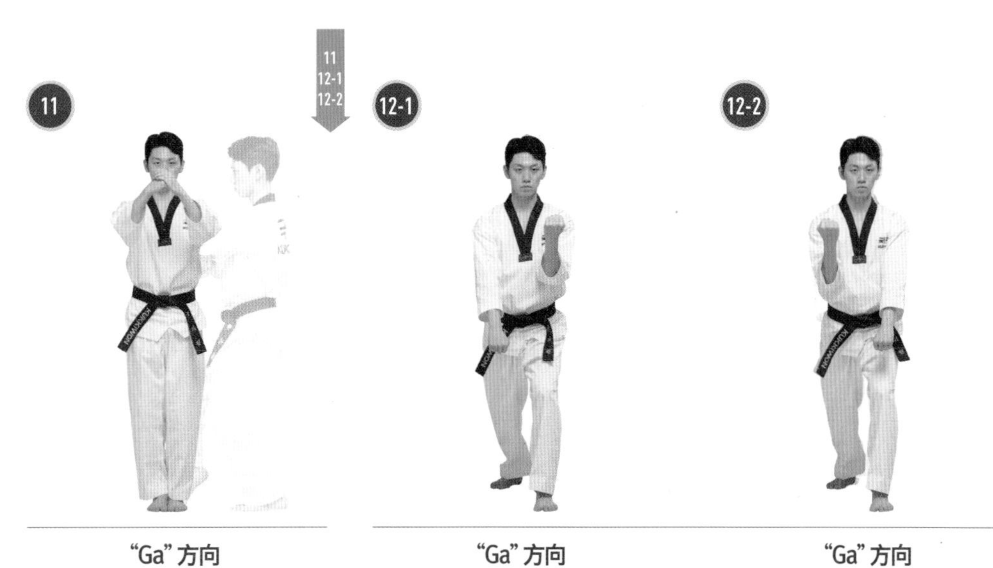

“Ga” 方向

面向 “Ga” 的方向,
缓慢收左脚做并步, 保持抱拳
(与人中同高)呼吸

“Ga” 方向

左脚迈步, 做左前弓步, 剪刀格挡

“Ga” 方向

反向剪刀格挡(原地站姿)

※ 以左手抱右拳

※ 首次剪刀格挡(如果是左前弓步, 左外格挡和右下格挡), 二次剪刀格挡(如果是左前弓步, 左下格挡和右外格挡)。

※ 两臂应以同样的速度由内而外运动。

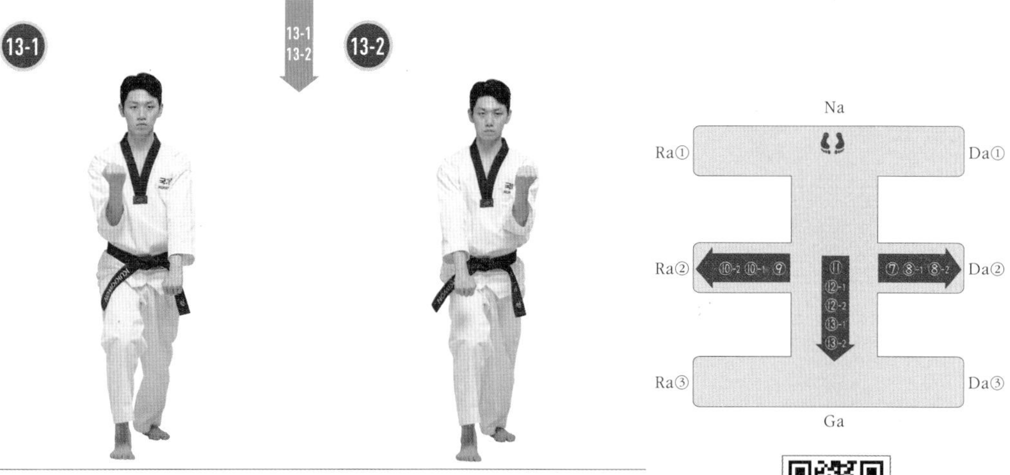

“Ga” 方向

右脚迈步, 做右前弓步, 剪刀格挡

“Ga” 方向

反向剪刀格挡(原地站姿)

※ 在后交叉步中，脚转动约45度（从前面看时），使观察者能够看到脚的后部。在仰冲拳中，两拳冲至略高于臂肘的高度（使腋窝和臂肘靠近身体）。后脚会打断前倾的力量，保持平衡并将力量传至两拳。

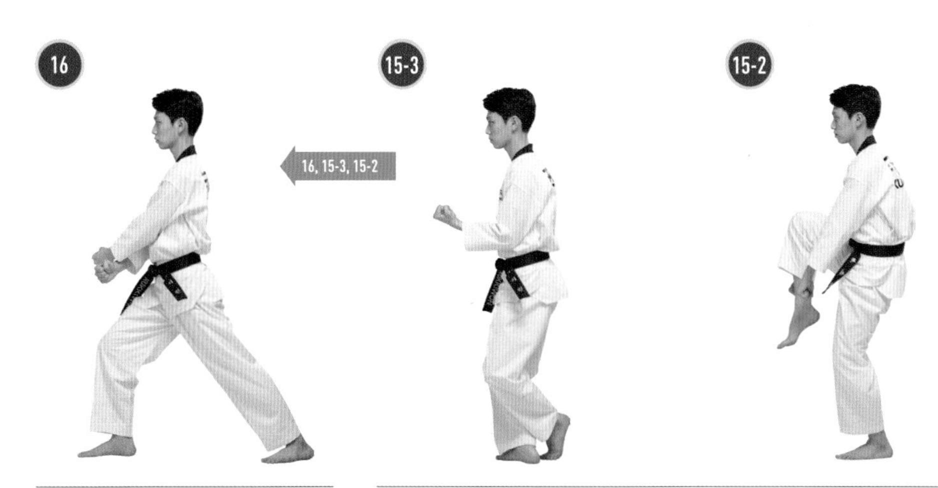

"Ra③" 方向
左脚后退一步，做右前弓步，下段交叉格挡

"Ra③" 方向
左脚后交叉步，双手做仰冲拳

"Ra③" 方向
下拉配合膝盖上击（两拳扣紧脚踝）并向上跳跃

※ 在右前弓步中，以右手腕向着腰线的左侧做下格挡，并以左手腕增加力量。使腋窝靠近身体，并略微弯曲臂肘，使下交叉格挡坚实有力。在后脚接触地面时，即完成下交叉格挡。

"Da③" 方向
以左脚为支点顺时针转身，右脚迈步做右前弓步，交叉分开格挡

"Da③" 方向
双手抱住对手头部，两掌相对

"Da③" 方向
膝盖上击

※ 确保臂肘向下，保持手臂紧张状态。

※ 双手抱住对手头部，两掌相对。做膝盖上击的同时双臂肘下压。

※ 在你抓住对手头部（颈部后面）下压时，先压臂肘会比先压拳头效果更好。双臂和膝盖上击的力量和速度应相同。

“Ra③”方向

转移重心至左脚，张开双手（两掌相对），伸展双臂来抓住对手的头

“Ra③”方向

以右脚为支点逆时针转身，左脚迈步做左前弓步，交叉分开格挡

※ 确保臂肘向下，保持手臂紧张状态。

“Da③”方向

随后向上跳，右脚后交叉步，双手做仰冲拳

“Da③”方向

右脚后退一步，做左前弓步，下段交叉格挡

※ 在左前弓步，以左手腕向着腰线的右侧做下格挡，并以右手腕增加力量。使腋窝靠近身体，并略微弯曲臂肘，使下交叉格挡坚实有力。在后脚接触地面时，即完成下交叉格挡。

21-2

"Ra②" 方向

迈步, 做马步,
右臂肘掌心前击打

前视图

21-1

"Na" 方向

以左脚为支点,
右脚做上段掌对内摆踢

侧视图

※ 上段掌对内摆踢利用脚刀背, 目标是手掌。

20

"Na" 方向

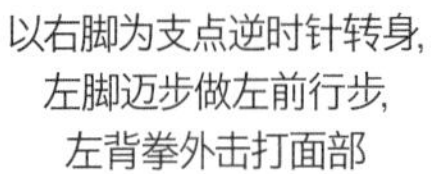

以右脚为支点逆时针转身,
左脚迈步做左前行步,
左背拳外击打面部

※ 在左背拳外击打中, 打击手臂需与对侧手臂交叉。

侧视图

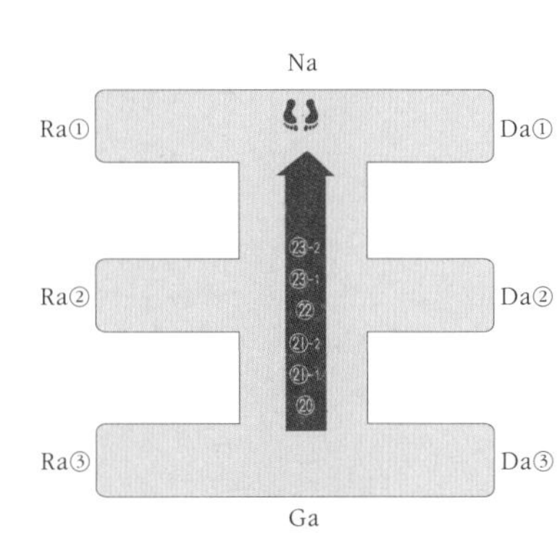

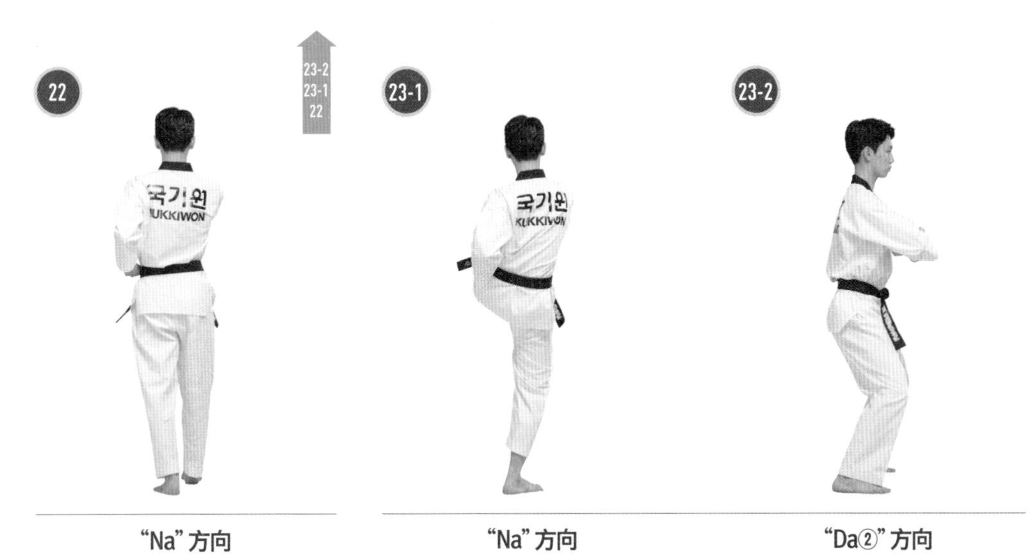

“Na” 方向

保持右脚原地迈步, 收左脚,
做右前行步, 右背拳外击打面部

“Na” 方向

以右脚为支点,
左脚做上段掌对内摆踢

“Da②” 方向

迈步做马步
左臂肘掌心前击打

※ 在上段掌对内摆踢, 用脚后跟对手掌。

侧视图

前视图

24

“Na” 方向

马步(原地站姿),
做左手刀侧格挡

25 发声

“Na” 方向

以左手拉对手,
同时将重心转移到左脚, 右脚迈步,
以左脚为支点形成马步,
右手做侧冲拳

收势

收势

在 “Na” 的位置,
以右脚为支点逆时针转身,
面向 “Ga” 的方向做基本收势

24 25

侧视图

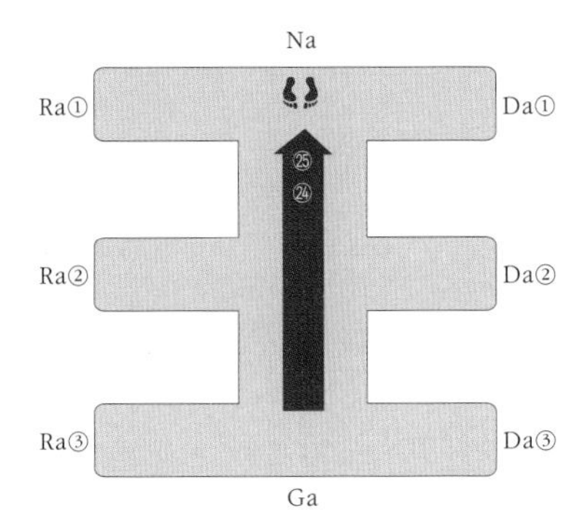
Na
Ra①
Da①
㉕
㉔
Ra②
Da②
Ra③
Da③
Ga

太极八章

太极八章 代表八卦中的“坤”。坤象征着地球——所有生物扎根和生活的地方——带有阴性的精神。坤代表人体中保护内脏的腹部。虽然太极一章中的乾象征所有事物的开始，但坤象征所有事物的生活场地——它们生长并结出果实的地方。同样，所有的人力都来自腹部。在这个阶段，你将强化腹部，并训练使用全身在空中完成双脚攻击。通过上下身体的有机连接，整个七个阶段得以完成。

练习目标

两脚连续前踢是首次在太极八章中介绍的一种跳跃技术，包括在空中向前踢两次。作为有级者的最后一个品势，这种技术的难度很高，是首个抵抗重力的技术。此外，你将训练半山格挡/半山形格挡和拉上冲拳，用两臂执行大的外向动作，以及反击技术，如在前踢后的两次后撤步和在虎步中的手刀助手外格挡后用前脚反击踢腿。这个步骤还包括学习其他具有挑战性的技术，如连接前踢和腾空前踢和臂肘横击，背拳前击面部，冲拳，并迅速连续攻击第一和第二个目标，协调围绕中心轴和臂部的动作。

(1) 太极八章品势线

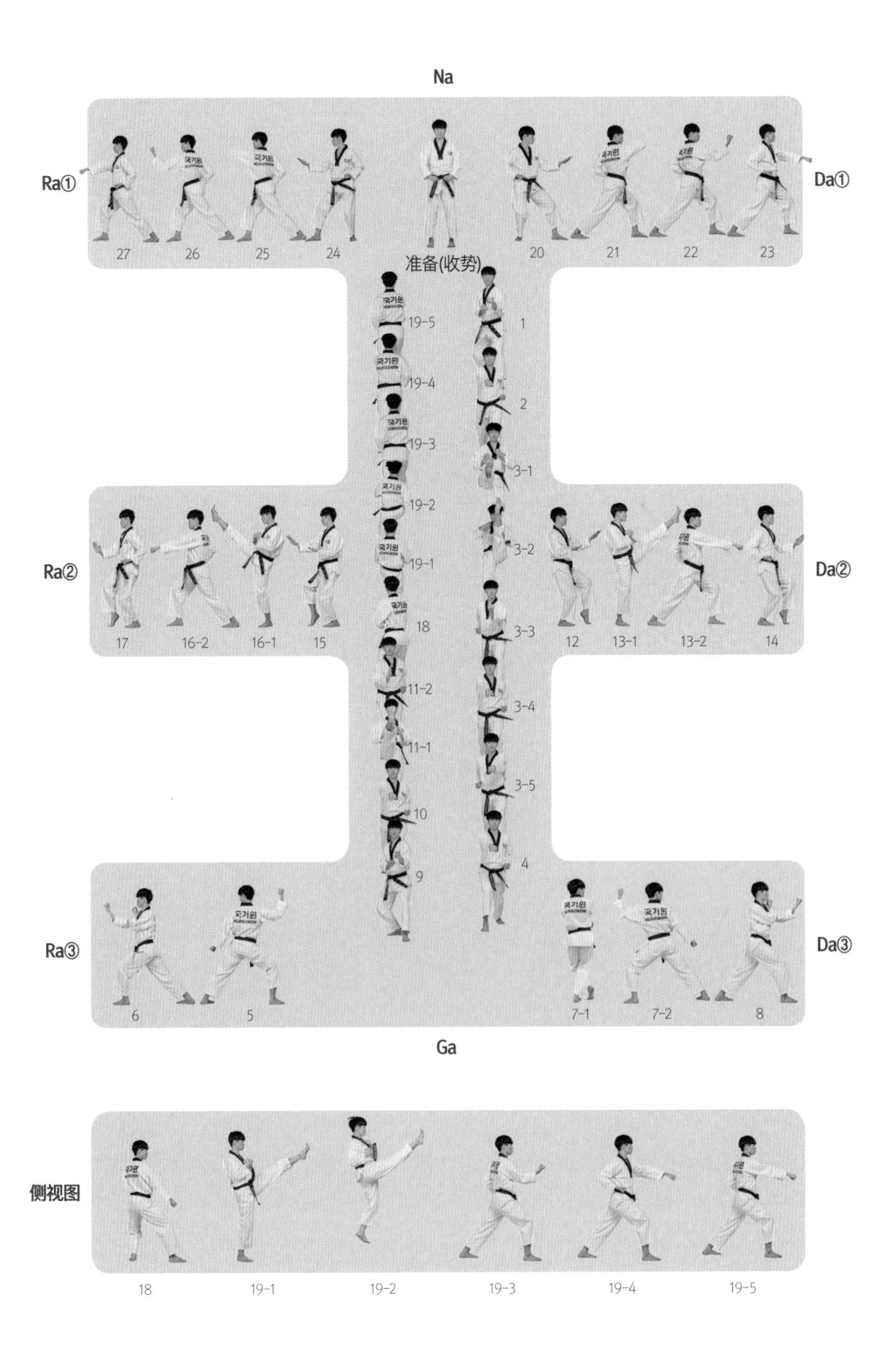
Na
Ra①
Da①
27
26
25
24
准备(收势)
20
21
22
23
19-5
19-4
19-3
19-2
19-1
18
11-2
11-1
10
9
1
2
3-1
3-2
3-3
3-4
3-5
4
Ra②
Da②
17
16-2
16-1
15
12
13-1
13-2
14
Ra③
Da③
6
5
7-1
7-2
8
Ga
侧视图
18
19-1
19-2
19-3
19-4
19-5

(2) 品势说明

顺序	视线	位置	站姿	动作	品名
准备	Ga	Na	并排步	左脚张开, 双拳自丹田提起, 至胸口后再放下	基本准备
1	Ga	Ga	右后弓步	左脚迈步	左助手外格挡
2	Ga	Ga	左前弓步	原地保持左脚迈步	右冲拳
3	Ga	Ga	左前弓步	两脚连续前踢, 发声, 迈步, 做左中格挡	两次冲拳
4	Ga	Ga	右前弓步	右脚迈步	右冲拳
5	Ra③	Ra③	右前弓步	转动左脚	半山形格挡
6	Ra③	Ra③	左前弓步	转身向左	右拉上冲拳
7	Da③	Da③	左前弓步	左前交叉步, 右脚迈步	半山形格挡
8	Da③	Da③	右前弓步	转身向右	左拉上冲拳
9	Ga	Na	右后弓步	转动右脚	左手刀助手外格挡
10	Ga	Na	左前弓步	左脚迈步	右冲拳
11	Ga	Na	右虎步	右脚前踢, 右脚后退一步, 左脚后退 一步, 收右脚	右掌根内格挡
12	Da②	Da②	左虎步	左脚迈步	左手刀助手外格挡
13	Da②	Da②	左前弓步	左脚前踢并迈步	右冲拳
14	Da②	Da②	左虎步	收左脚	左掌根内格挡
15	Ra②	Ra②	右虎步	转动右脚	右手刀助手外格挡
16	Ra②	Ra②	右前弓步	右脚前踢并迈步	左冲拳
17	Ra②	Ra②	右虎步	收右脚	右掌根内格挡
18	Na	Na	左后弓步	转动右脚	右下助手格挡
19	Na	Na	右前弓步	左前踢, 右腾空前踢, 发声, 迈步	右中格挡和两次冲拳
20	Da①	Da①	右后弓步	转动左脚	左手刀外格挡
21	Da①	Da①	左前弓步	左脚迈步	右臂肘横击面部
22	Da①	Da①	左前弓步	原地站姿	右上段背拳前击打
23	Da①	Da①	左前弓步	原地站姿	左冲拳
24	Ra①	Ra①	左后弓步	转动右脚	右手刀外格挡
25	Ra①	Ra①	右前弓步	右脚迈步	左臂肘横击面部
26	Ra①	Ra①	右前弓步	原地站姿	左上段背拳前击打
27	Ra①	Ra①	右前弓步	原地站姿	右冲拳
收势	Ga	Na	并排步	收左脚	基本准备(收势)

(3) 本文

准备

准备

在 "Na" 的位置上,
面向 "Ga" 的方向做
基本准备

1

"Ga" 方向

左脚迈步, 做右后弓步,
助手外格挡

2

"Ga" 方向

左脚迈步做左前弓步, 右手冲拳

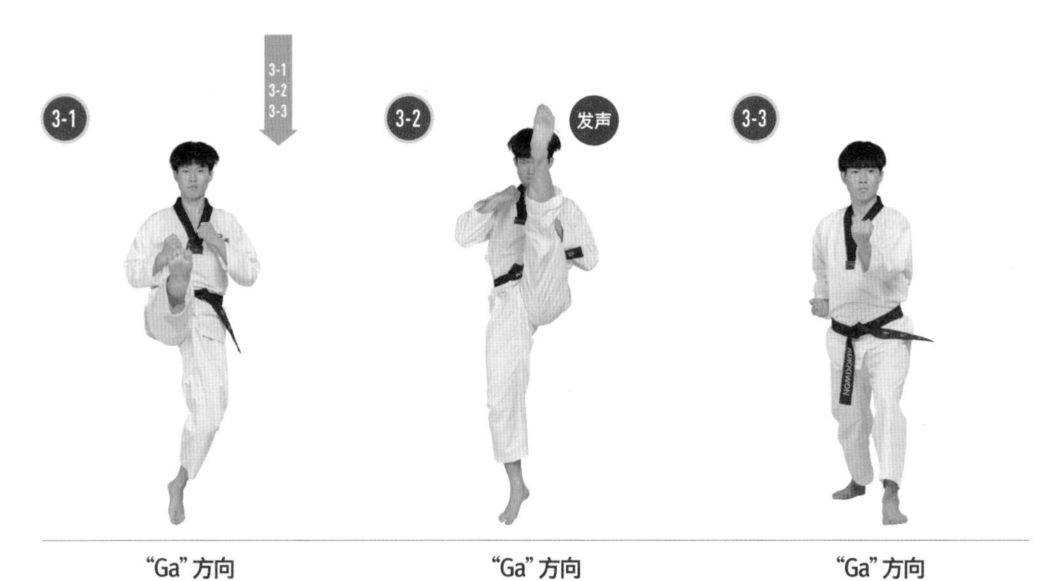

“Ga” 方向

面向 “Ga” 的方向做两脚连续前踢
(先做右脚前踢,
然后做左脚腾空前踢)

“Ga” 方向

左脚前踢时, 发声

“Ga” 方向

踢击后, 左脚迈步, 做左前弓步,
左中格挡

※ 在两脚连续踢落地时, 做中格挡。所有动作必须连贯。

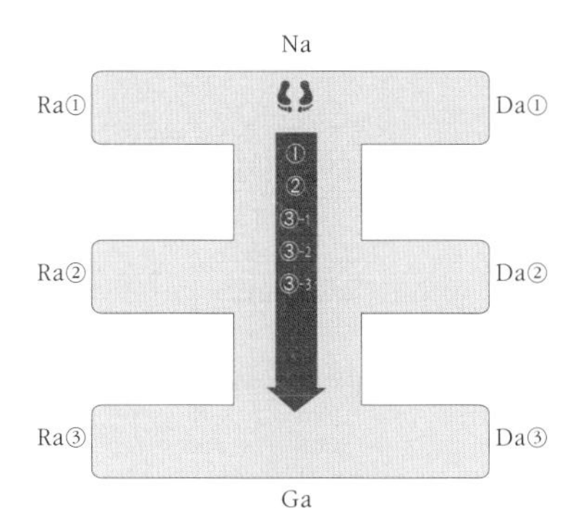

"Ga" 方向

轮流两次冲拳
(右手冲拳, 原地站姿)

"Ga" 方向

两次冲拳
(左手冲拳, 原地站姿)

"Ga" 方向

右脚迈步做右前弓步, 右手冲拳

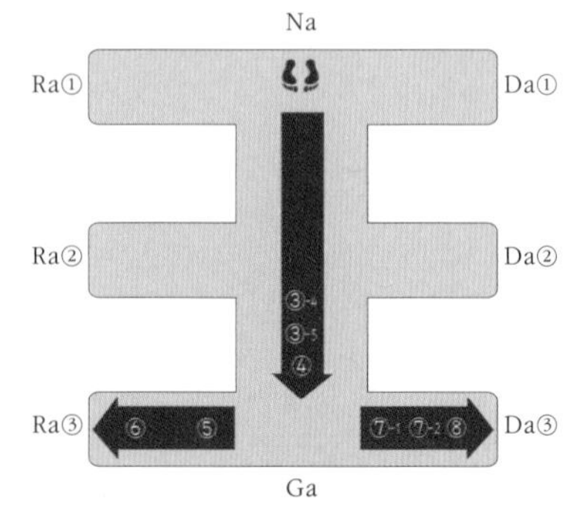

5

“Ra③” 方向

以右脚为支点逆时针转身,
左脚迈步, 做右前弓步, 半山格挡
半山形格挡

6, 5

6

“Ra③” 方向

左脚缓慢向左逆时针旋转并移动到同一线上,
做左前弓步, 拉上冲拳
(右拳经过体侧和胸口去打击下巴)

※ 缓慢收紧整个身体 (丹田), 协调手臂的移动和躯干的扭转。改变方向时, 保持姿势高度不变。

7-1

7-2

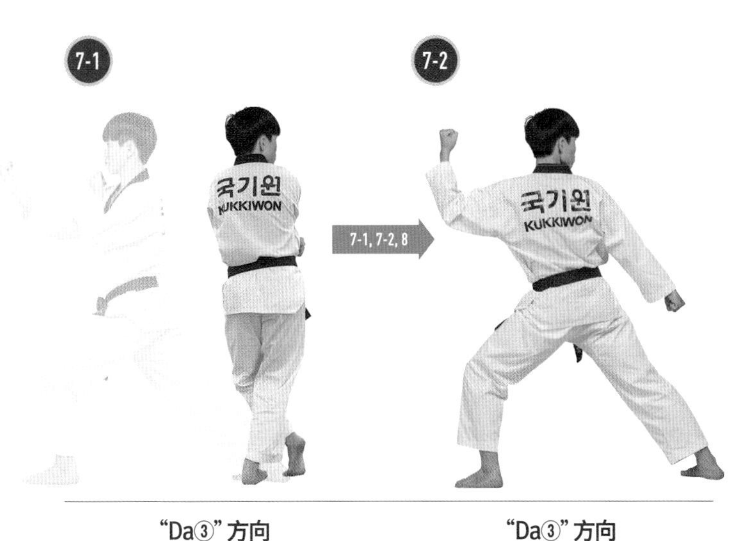

8

“Da③” 方向

转移重心到右脚,
左脚跨过右脚做前交叉步

“Da③” 方向

右脚迈步,
左脚保持在同一线上做左前弓步,
半山形格挡

“Da③” 方向

右脚缓慢向右顺时针旋转并移动到同一线上, 做右前弓步, 拉上冲拳
(左拳经过体侧和胸口去打击下巴)

※ 连接 7-1 和 7-2 中的动作。

※ 缓慢收紧整个身体 (丹田), 协调手臂的移动和躯干的扭转。改变方向时, 保持姿势高度不变。

“Ga” 方向

左脚迈步做左前弓步, 右手冲拳

11-2
11-1
10
9

“Ga” 方向

右脚前踢并后退一步,
左脚后退一步, 收右脚

“Ga” 方向

右虎步, 右掌根内格挡

“Ga” 方向

以左脚为支点逆时针转身,
右脚向 “Na” 的方向迈步,
做右后弓步, 左手刀助手外格挡

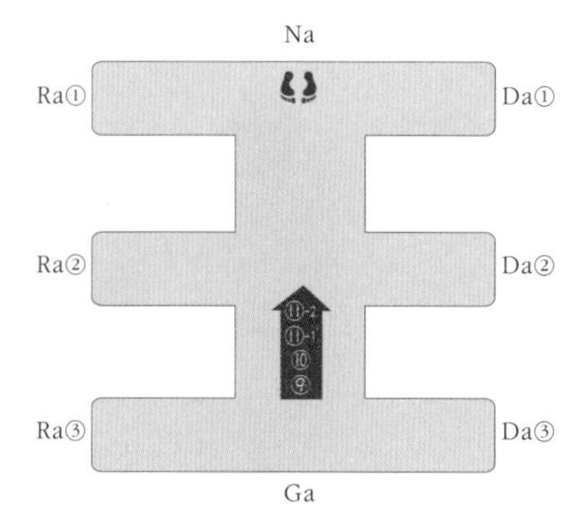

“Da②”方向

以右脚为支点，左脚逆时针移动，
做左虎步，左手刀助手外格挡

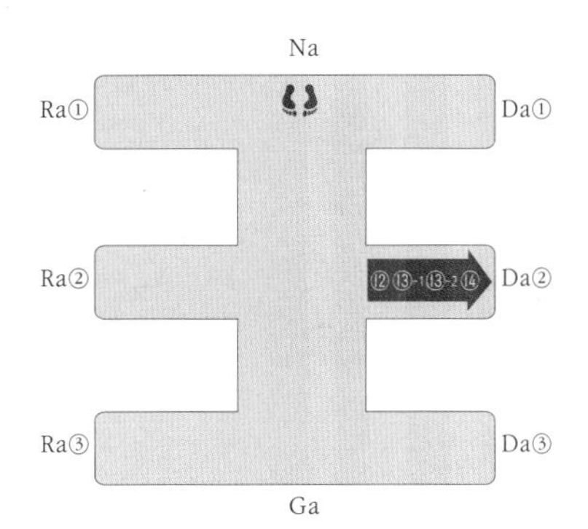

“Da②”方向

左脚前踢并迈步

“Da②”方向

左前弓步，右手冲拳

“Da②”方向

重心转移至右脚，收左脚，
做左虎步，左掌根内格挡

“Ra②”方向

右脚以左脚为支点顺时针转身,
做右虎步, 右手刀助手外格挡

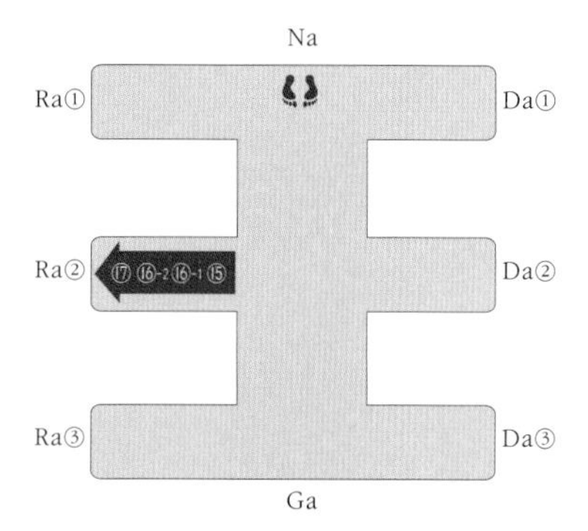

“Ra②”方向

重心转移至左脚, 收右脚,
做右虎步, 右掌根内格挡

“Ra②”方向

右前弓步, 左手冲拳

“Ra②”方向

右脚前踢并迈步

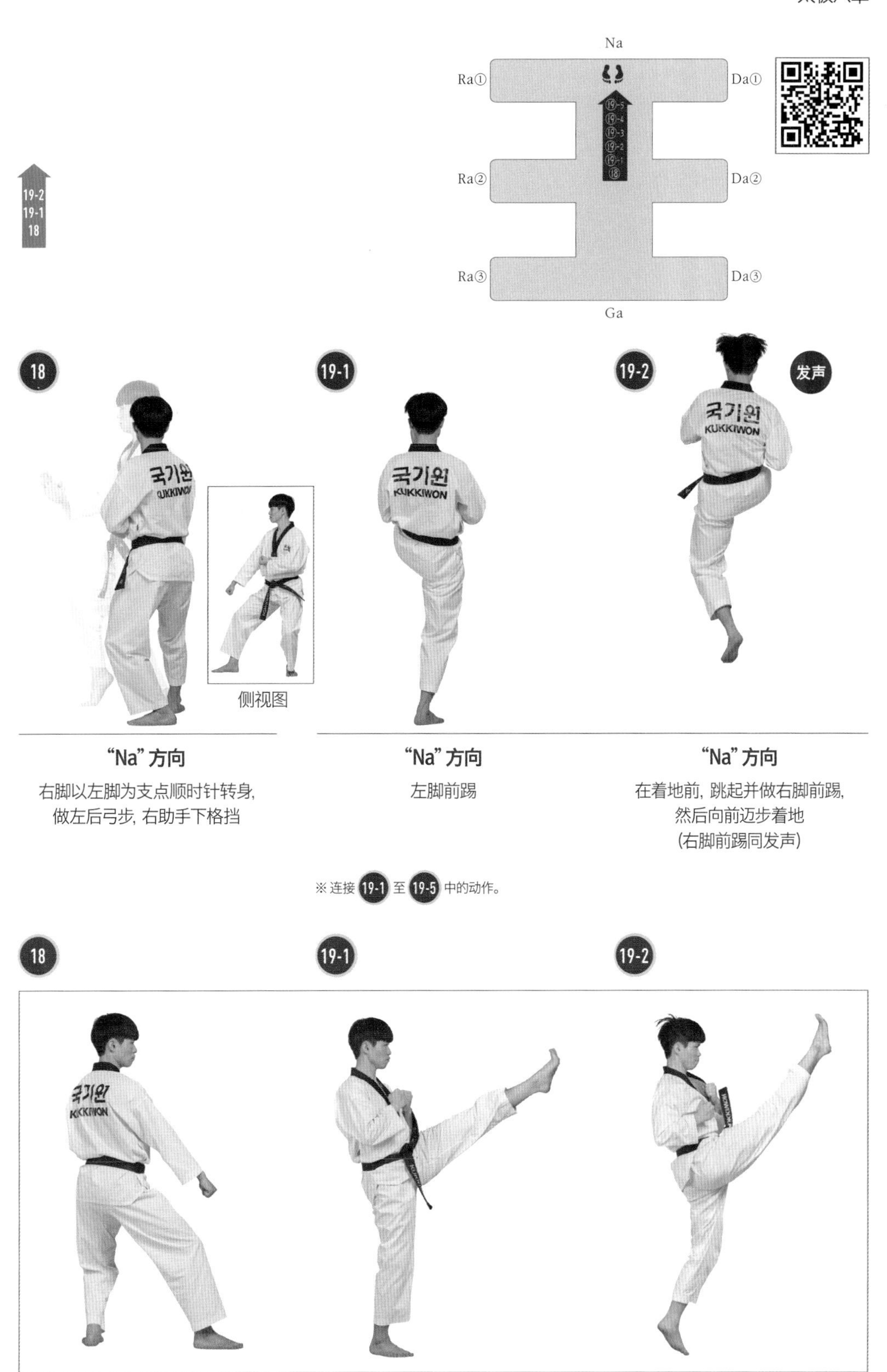

18

侧视图

“Na”方向

右脚以左脚为支点顺时针转身，做左后弓步，右助手下格挡

19-1

“Na”方向

左脚前踢

19-2

“Na”方向

在着地前，跳起并做右脚前踢，然后向前迈步着地（右脚前踢同发声）

※ 连接 19-1 至 19-5 中的动作。

18 19-1 19-2

侧视图

“Na” 方向
做右前弓步, 右中格挡

“Na” 方向
轮流两次冲拳
(左手冲拳, 原地站姿)

“Na” 方向
两次冲拳
(右手冲拳, 原地站姿)

※ 连接 19-1 至 19-5 中的动作。

侧视图

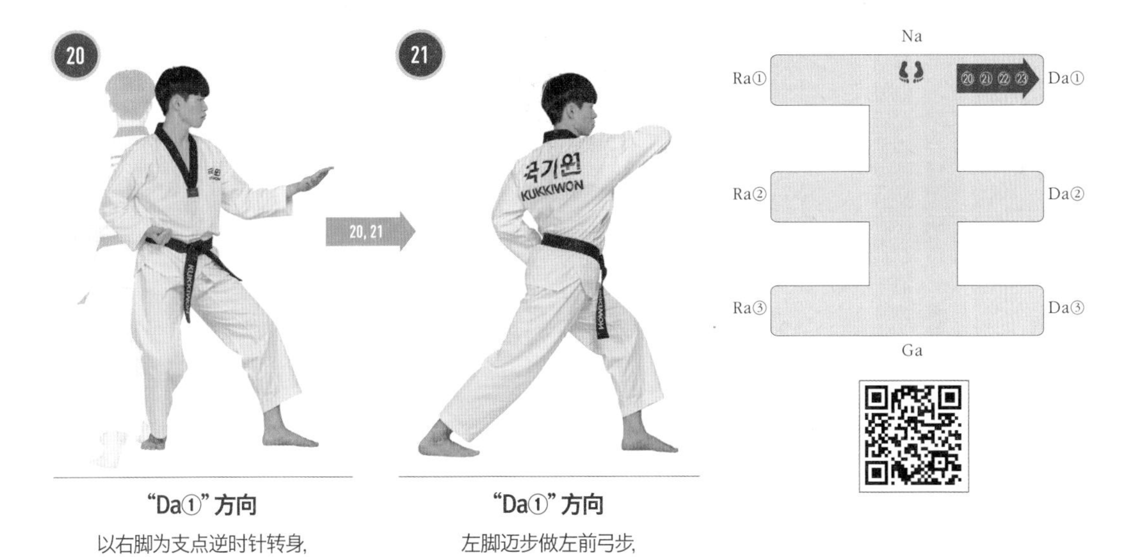

"Da①" 方向

以右脚为支点逆时针转身,
左脚迈步做右后弓步,
左手刀外格挡

"Da①" 方向

左脚迈步做左前弓步,
右上段背拳前击打

"Da①" 方向

左前弓步(原地站姿),
右背拳前击面部

"Da①" 方向

左前弓步(原地站姿), 左手冲拳

收势

以右脚逆时针转身,
向 “Na” 方向迈步,
面向 “Ga” 方向做基本收势

“Ra①” 方向

左前弓步(原地站姿), 右手冲拳

“Ra①” 方向

右前弓步(原地站姿),
左上段背拳前击打

“Ra①” 方向

右脚迈步做右前弓步,
左臂肘横击面部

“Ra①” 方向

将重心转移到左脚,
顺时针转身并用右脚迈步
(右脚向右移动),
做左后弓步, 右外格挡

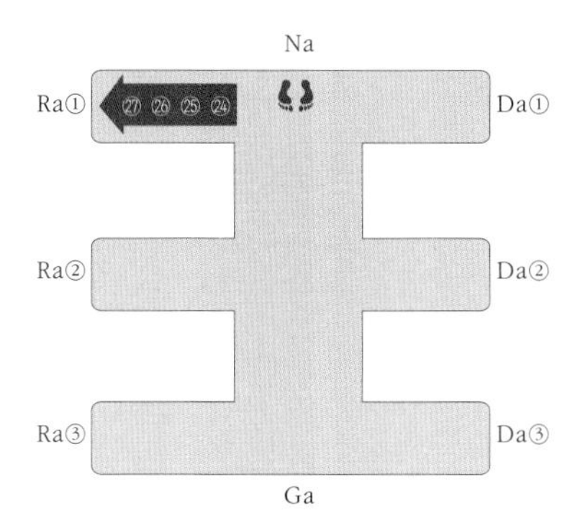

2 有段者品势

有段者品势的意义

有段者品势名称的象征意义在于根据孔子、佛陀和禅宗的教诲，培养美德和性格发展，最终归结为人性的价值。有段者品势的练习基于传统的韩国思想，始于“高丽”。高丽品势代表贤士，以学术精神和强大的武术，使人熟练掌握文学和军事艺术。“金刚”品势代表了佛教的视角：坚硬和威严。“太白”是山的名字，意为“明山”；它象征着檀君的“弘益人间”(广泛造福人类世界)的观点和白头山，这被称为韩国人的摇篮。“平原”指的是平原 —— 一个广阔、伸展的土地，基于和平和斗争的理念。“十进”代表十种长寿生物：太阳，月亮，山，水，石，松树，长生草，乌龟，鹿，鹤。它象征了众生的无限数量和不断的发展。“地跆”象征了一个人双脚着地，代表了人类生活的挣扎，如在地上踢、行走和跳跃。“天拳”意味着天的伟大力量。“汉水”品势象征着大水，代表着灵活性，宽容，兼容性和适应性，以柔克刚。“一如”代表了佛教中精神修养的状态，意为“合一”。这是尊贵的元晓大师思想的精髓。在一如中，身体和心灵，精神和物质，我和你都统一起来，达到在“主体”，“身体”，和“用途”中的自我消除状态。

高丽

高丽品势的意义

高丽意指贤士，代表着强烈的武术精神和正直的学术精神。从高句丽-渤海-高丽传承下来的贤士精神被编织进了高丽品势。品势线遵循“士”的特征，这是学者的象征。高丽是一个复合词，由“高”和“丽”组成。“丽”意为“优雅、团结和传承”。丽也被解释为“照耀”，通常用来表示“尊贵”和“华丽”。通过练习太极品势，了解了基本的八种力量之后，高丽品势训练你如何通过结合身体、能量和意识——人体的基本要素，来运用全新维度的力量。

练习目标

作为有段者的第一个品势，高丽品势涉及在同一方向练习连续的动作：手刀下段格挡、颈部虎口前击，颈部手刀外击打和手刀下段格挡。此外，它涉及连接向内或向外的动作，然后反向动作，如颈部手刀前击打和手刀下格挡。你也将练习向相反方向转身和攻击的技术，如侧踢和下段仰手刺击。此外，你还将学习一些困难的技术，如多段侧踢，用同一只脚两次踢击(低和高)，这需要肌肉在第一次踢之后恢复松弛的弹性，以便第二次踢得更高。因此，在这个阶段，你将学习在有段者品势中需要快速改变身体动作的技术。而这些技术预计有一定难度。

(1) 高丽品势线

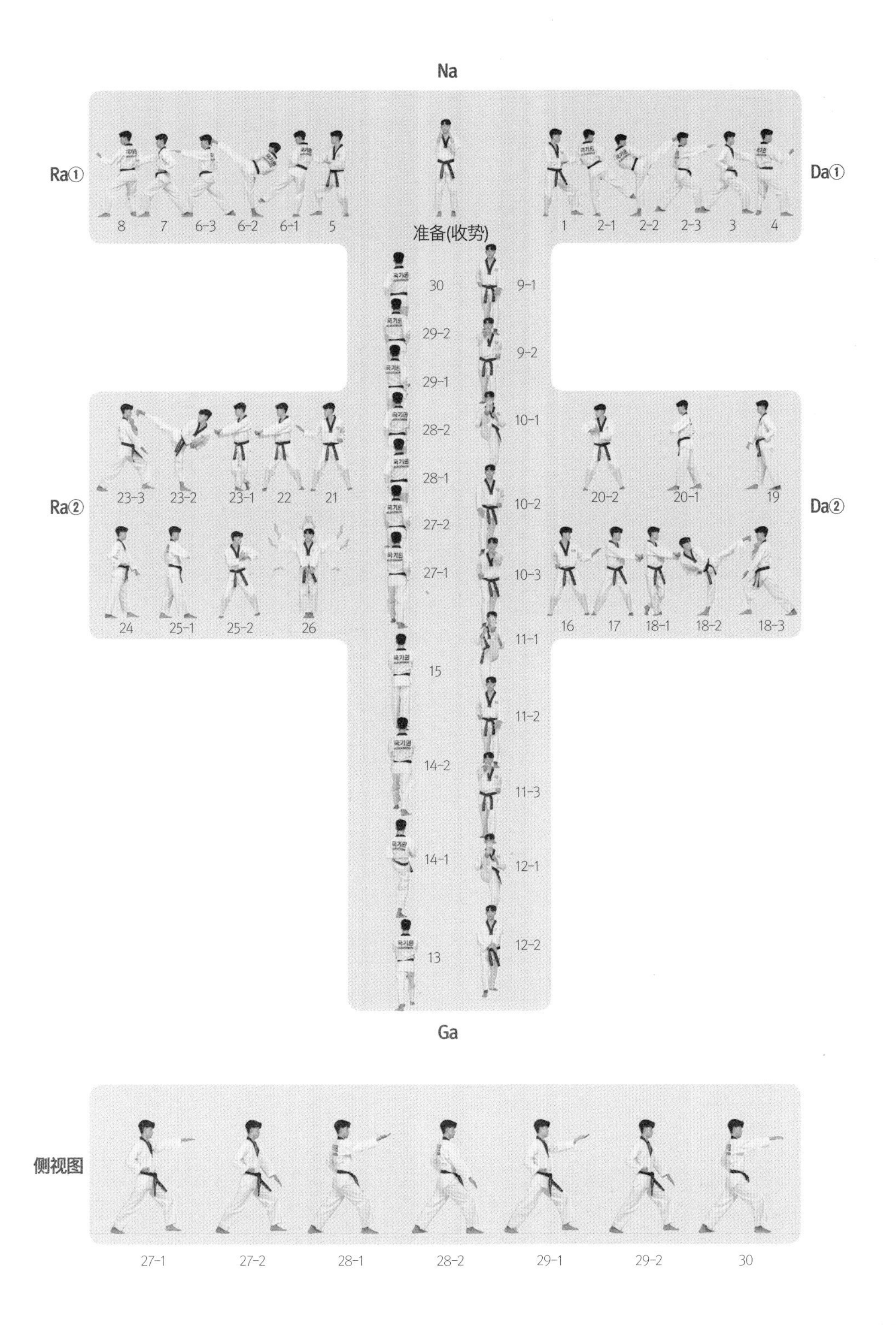
Na
Ra①
8
7
6-3
6-2
6-1
5
准备(收势)
1
2-1
2-2
2-3
3
4
Da①
30
29-2
29-1
28-2
28-1
27-2
27-1
15
14-2
14-1
13
9-1
9-2
10-1
10-2
10-3
11-1
11-2
11-3
12-1
12-2
Ra②
23-3
23-2
23-1
22
21
24
25-1
25-2
26
20-2
20-1
19
16
17
18-1
18-2
18-3
Da②
Ga
侧视图
27-1
27-2
28-1
28-2
29-1
29-2
30

(2) 品势说明

顺序	视线	位置	站姿	动作	品名
准备	Ga	Na	并排步	左脚向侧面移动, 双刀状从丹田开始运气向上举起	推圆柱准备
1	Da①	Da①	右后弓步	迈步	左手刀助手外格挡
2	Da①	Da①	右前弓步	右脚多阶段侧踢并迈步	颈部右手刀外击打
3	Da①	Da①	右前弓步	原地站姿	左冲拳
4	Da①	Da①	左后弓步	左脚不动, 收右脚	右中段格挡
5	Ra①	Ra①	左后弓步	右脚以左脚为支点顺时针转身	右手刀助手外格挡
6	Ra①	Ra①	左前弓步	左脚多阶段侧踢并迈步	颈部左手刀外击打
7	Ra①	Ra①	左前弓步	原地站姿	右冲拳
8	Ra①	Ra①	右后弓步	右脚不动, 收左脚	左中段格挡
9	Ga	Ga	左前弓步	以右脚为支点逆时针转动左脚, 做左手刀下段格挡	颈部虎口前击
10	Ga	Ga	右前弓步	右脚前踢并迈步, 做右手刀下段格挡	颈部虎口前击
11	Ga	Ga	左前弓步	左脚前踢并迈步, 做左手刀下段格挡	右颈部虎口前击 发声
12	Ga	Ga	右前弓步	右脚前踢并迈步	左膝盖按擒
13	Na	Na	右前弓步	左脚迈步并向右转	内手腕交叉分开格挡
14	Na	Na	左前弓步	左脚前踢并迈步	右膝盖按擒
15	Na	Na	左前行步	收左脚	内手腕交叉分开格挡
16	Da②	Ra②	马步	顺时针转动右脚	左手刀侧格挡
17	Da②	Ra②	马步	原地站姿	右掌侧冲拳

顺序	视线	位置	站姿	动作	品名
18	Ra②	Da②	右前弓步	移动右脚做前交叉步, 左脚侧踢, 在Da②落地并转向Ra②	左下段仰手刺击
19	Ra②	Da②	右前行步	左脚不动,收右脚	右下段格挡
20	Ra②	Ra②	马步	左脚迈步, 做左掌根下压格挡, 右脚迈步	右臂肘助手侧击打
21	Ra②	Ra②	马步	原地站姿	右手刀侧格挡
22	Ra②	Ra②	马步	原地站姿	左掌侧冲拳
23	Da②	Ra②	左前弓步	移动左脚做前交叉步, 左脚侧踢, 在Ra②落地并转向Da②	右下段仰手刺击
24	Da②	Ra②	左前行步	右脚不动, 收左脚	左下段格挡
25	Da②	Ra②	马步	右脚迈步, 做右掌根下压格挡, 左脚迈步	左臂肘助手侧击打
26	Ga	Ga	并步	左脚不动, 收右脚	下段锤拳掌心内击打
27	Na	Na	左前弓步	以右脚为支点逆时针转动左脚, 做颈部左手刀外击打	左手刀下段格挡
28	Na	Na	右前弓步	右脚迈步, 做颈部右手刀内击打	右手刀下段格挡
29	Na	Na	左前弓步	左脚迈步, 做颈部左手刀内击打	左手刀下段格挡
30	Na	Na	右前弓步	右脚迈步	右颈部虎口前击 发声
收势	Ga	Na	并排步	左脚以右脚为支点转身	推圆柱收势

(3) 本文

准备

在 “Na” 的位置上,
面向 “Ga” 的方向做
推圆柱准备

“Da①” 方向

左脚迈步, 做右后弓步,
右手刀助手外格挡

“Da①” 方向

右脚多阶段侧踢
(右脚下段侧踢(膝盖))

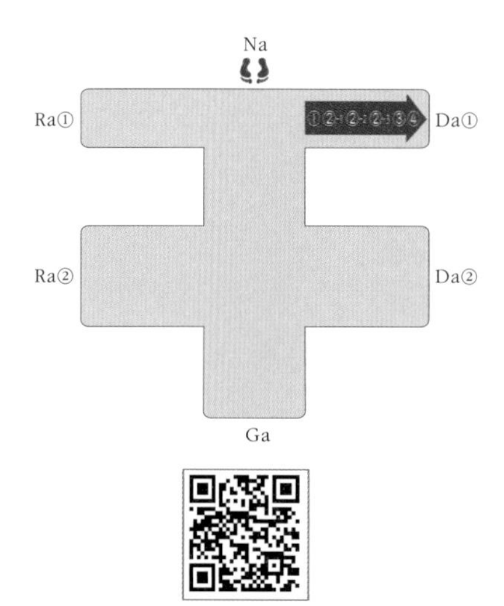

"Da①" 方向

随后侧踢(躯体或面部)并迈步

"Da①" 方向

右前弓步, 颈部右手刀外击打

※ 连接 2-1 至 2-3 中的动作。

"Da①" 方向

右前弓步(原地站姿), 左手冲拳

"Da①" 方向

重心转移至左脚, 收右脚,
做左后弓步, 右中段格挡

“Ra①” 方向
迈步做左前弓步, 颈部左手刀外击打

“Ra①” 方向
侧踢(躯体或面部)

※ 连接 6-1 至 6-3 中的动作。

“Ra①” 方向
重心转移至右脚, 收左脚,
做右后弓步, 左中段格挡

“Ra①” 方向
左前弓步(原地站姿),
右手冲拳

"Ra①" 方向

左脚多阶段侧踢
(左脚下段侧踢(膝盖))

"Ra①" 方向

右脚以左脚为支点顺时针转身,
做左后弓步, 右手刀助手外格挡

Na
Ra① Da①
Ra② Da②
Ga

“Ga” 方向
以右脚为支点逆时针转身,
左脚迈步做左前弓步, 左手刀下段格挡

“Ga” 方向
随后做颈部虎口前击

※ 颈部虎口前击: 用虎口击打对手的咽喉。

※ 连接 9-1 和 9-2 中的动作。

“Ga” 方向
右脚前踢并迈步

“Ga” 方向
右前弓步, 右手刀下段格挡

“Ga” 方向
左颈部虎口前击
(原地)

“Ga” 方向
左脚前踢并迈步

“Ga” 方向
做左前弓步,
左手刀下格挡

“Ga” 方向
右颈部虎口前击

※ 连接 11-1, 11-2 和1 11-3 中的动作。

“Ga” 方向
右脚前踢并迈步

“Ga” 方向
右前弓步, 左膝盖按擒

※ 右手抓住对手的脚踝, 按压关节, 并用左手虎口锁定膝盖(你也可以擒拿其他身体部位或打破对手的平衡)

※ 连接 12-1 和 12-2 中的动作。

“Na” 方向

左脚迈步,
以右脚为支点顺时针转身,
做右前弓步, 内手腕交叉分开格挡

“Na” 方向

左脚前踢并迈步

※ 连接 14-1 和 14-2 中的动作。

“Na” 方向

左前弓步, 右膝盖按擒膝盖摁擒

前视图

“Na” 方向

收左脚, 做左前行步,
内手腕交叉分开格挡

前视图

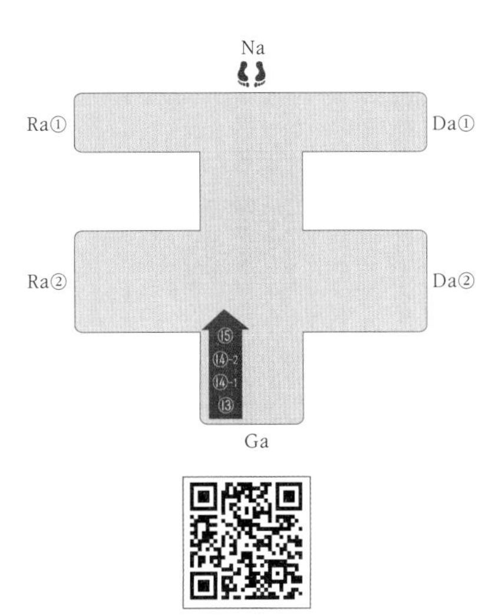

16

"Da" 方向

以左脚为支点,
顺时针转向使右脚转向Ra②,
做马步(面向 "Ga" 的方向),
左手刀侧格挡

17

"Da②" 方向

双脚位置不变,
保持马步(原地站姿), 转动上半身
做右掌侧冲拳

※ 打开左手, 对着手掌做掌冲拳

18-1

"Da②" 方向

移动右脚跨过左脚做前交叉步,
像双手小轮击那样收回
双手至右腰侧

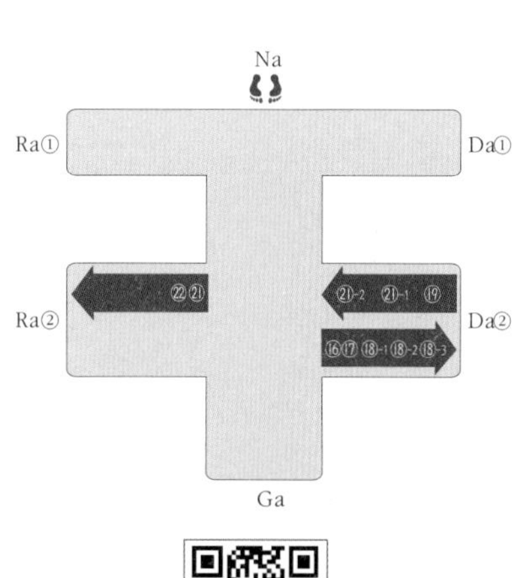

22

22, 21

"Ra②" 方向

马步(原地站姿), 左掌侧冲拳

21

"Ra②" 方向

马步(原地站姿), 做右手刀侧格挡

“Da②” 方向

左脚侧踢(“Da②” 方向), 转身落脚

“Ra②” 方向

右前弓步
左手尖下段仰手刺击

※ 向左肩收右手的速度和力度应与左手的出手速度和力度相同

“Ra②” 方向

右脚迈步, 做马步, 右臂肘助手侧击打

“Ra②” 方向

左脚迈步, 做左前行步,
左掌根做下压格挡

“Ra②” 方向

随后左脚保持不动, 收右脚,
做右前行步, 右下段格挡

※ 掌根下压格挡和右臂肘助手横击这两个动作需无缝连接。

※ 在做右臂肘助手横击时, 使用左手掌推动右拳来增加力量。

“Da②” 方向

左前弓步，右手尖下段仰手刺击

“Ra②” 方向

向左做双手小轮击，同时右脚侧踢，转身落脚

“Ra②” 方向

移动左脚跨过右脚做前交叉步，收回双手至腰侧

※ 向右肩收左手的速度和力度应与右手的出手速度和力度相同。

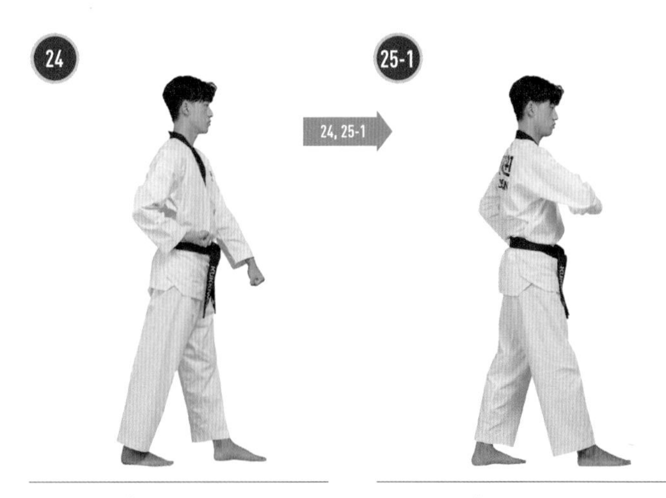

“Da②” 方向

右脚保持不动，收左脚，做左前行步，左下段格挡

“Da②” 方向

右脚迈步，做右掌根下压格挡

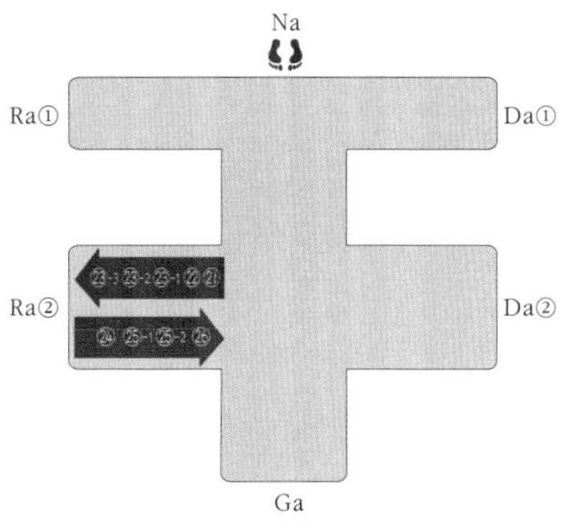

"Da②"方向

随后左脚迈步, 做马步,
左臂肘助手侧击打

"Ga"方向

收右脚与左脚一起回到原位,
做左下段锤拳掌心内击打

※ 掌根下压格挡和右臂肘助手横击这两个动作需无缝连接。

※ 在做左臂肘助手横击时, 使用右手掌推动左拳来增加力量。

※ 在做"左下段掌锤拳内击"时, 将右脚和左脚并拢, 双手经过面部到头部上方, 保持手腕向后, 绕圆形缓慢放下双手。

※ 左手在肩膀高度时握拳, 两手相遇时以左拳轻轻击打右掌。(在丹田处稍微弯曲肘部)

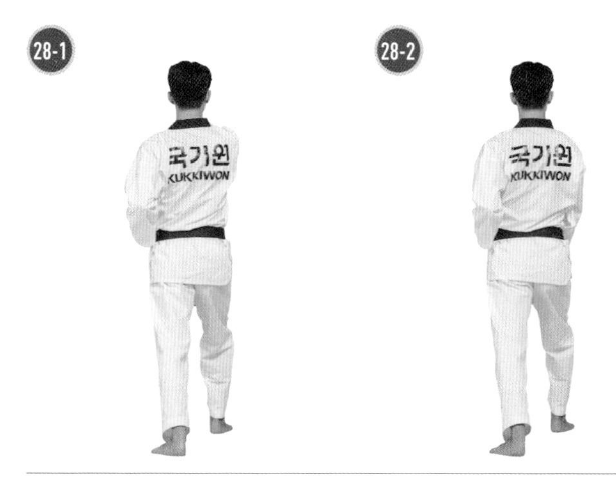

“Na” 方向

右脚迈步做右前弓步，右手刀内击颈部

“Na” 方向

右前弓步(原地站姿)，
右手刀下段格挡

※ 连接 28-1 和 28-2 中的动作。

“Na” 方向

以右脚为支点逆时针转身，
左脚迈步做左前弓步，
左手刀外击打颈部

“Na” 方向

左前弓步(原地站姿)，
左手刀下段格挡

※ 连接 27-1 和 27-2 中的动作。

侧视图

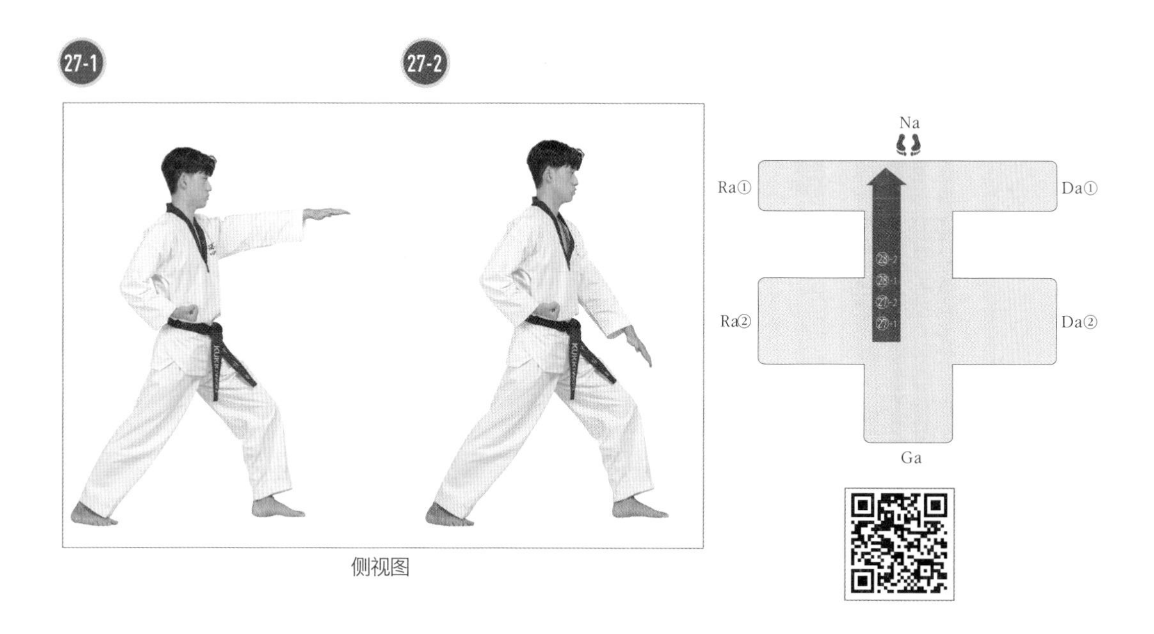

侧视图

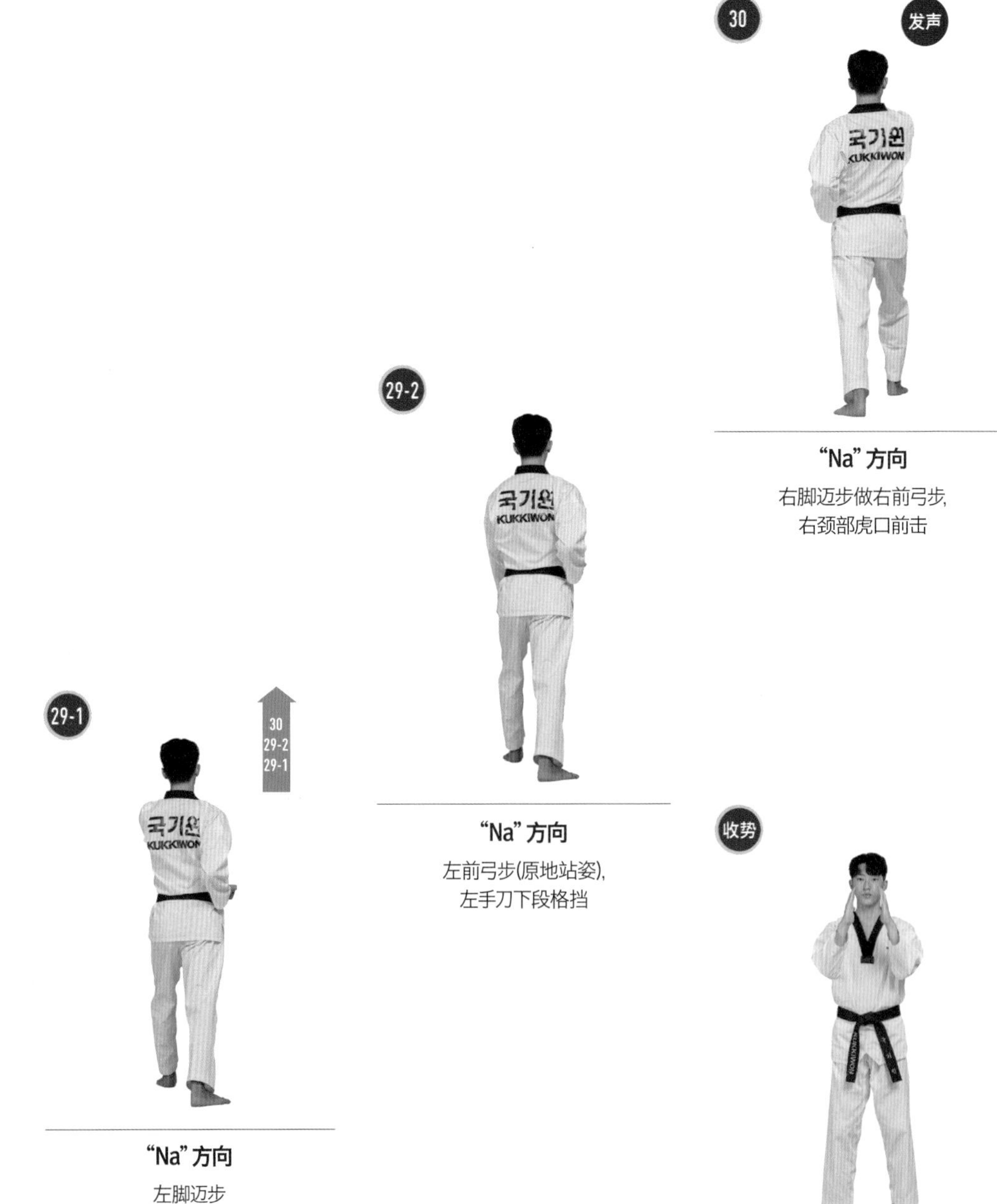

"Na" 方向

右脚迈步做右前弓步,
右颈部虎口前击

"Na" 方向

左前弓步(原地站姿),
左手刀下段格挡

"Na" 方向

左脚迈步
颈部左手刀内击打

※ 连接 29-1 和 29-2 中的动作。

收势

以右脚为支点逆时针转身,
从 "Na" 的位置面向 "Ga" 的方向,
做推圆柱收势

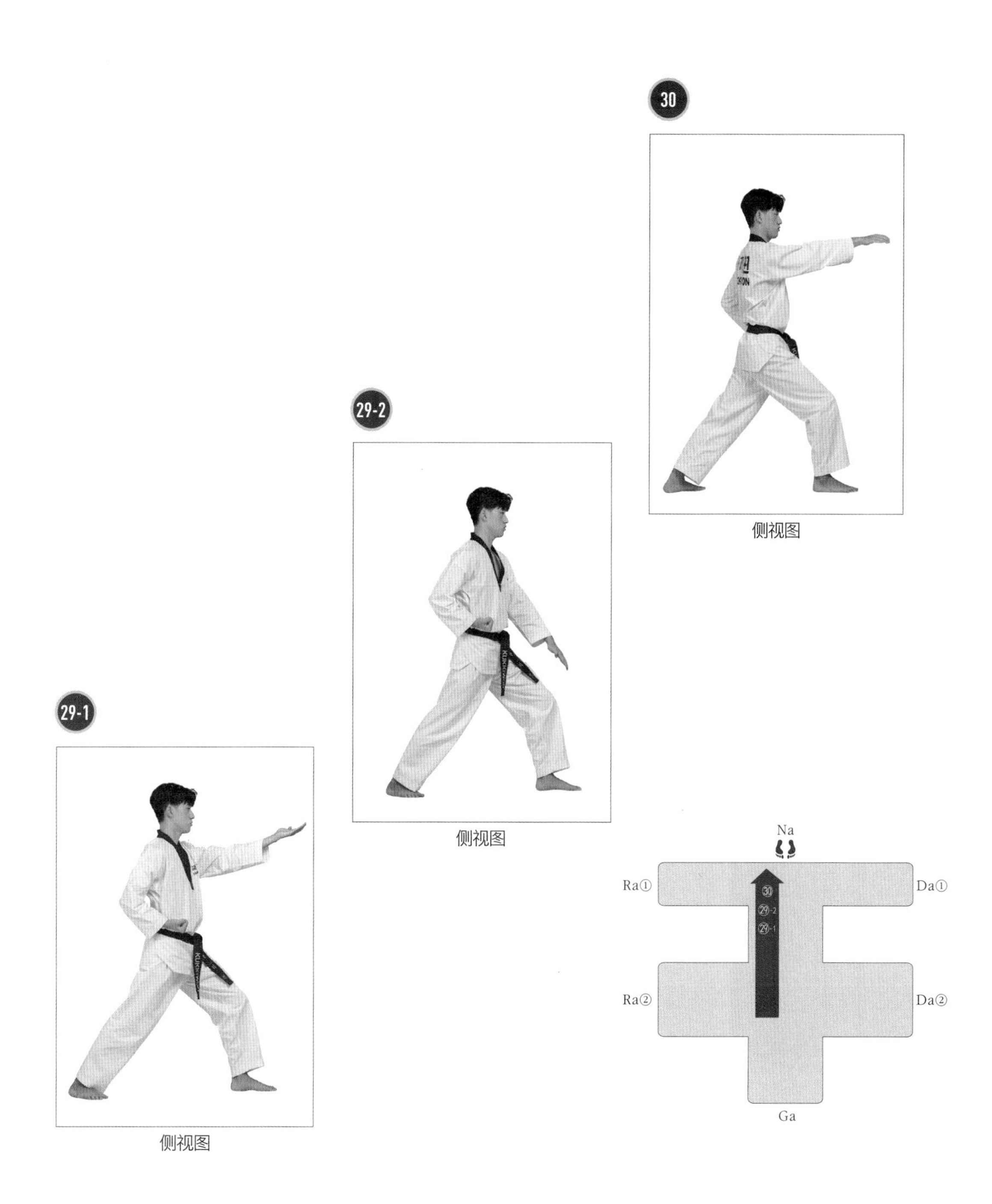

侧视图

侧视图

侧视图

金刚

金刚品势的意义

金刚代表了终极的力量和重量，也代表了金刚山——朝鲜半岛的能源源泉，护法指的是保护佛法，两者构成了阴阳的守护者。名字来源于“金刚力士”，意指作为武术大师的最强战士，而“金刚”象征着男性气概、力量和坚不可摧。这些因素都融入了金刚品势。作为最强大的，金刚意味着向所有方向散发光芒。当应用于人体时，它指的是充满能量并准备用身体的任何部分发挥力量的状态。这是通过左右和上下身体的协调来实现的，使之作为一个整体移动。此外，它需要镇定，不偏向一方，没有鲁莽，恐惧或犹豫。金刚品势的演武线遵循“山”字。中间的垂直线代表身体的中心轴和脊柱，左右的短线代表通过从中心线向左或向右扭动身体产生的力量。在做金刚品势时，修炼者学习基于身体中心线(脊柱)的旋转动作，了解如何在保持中心坚实如大山的同时，以有力的动作发挥力量。

练习目标

在金刚中, 你训练身体的有机使用以展现深沉和威严的表达。金刚格挡象征着坚定和力量, 如“金刚”一词所示。它的品势线,“山”, 代表了辉煌和稳定。在练习金刚品势时, 你必须执行强大、稳定但慢速的动作, 以发展力量并展示威严的有段者形象。

由于金刚品势的所有程序都需要在同一高度保持平衡, 同时连接动作, 所以修炼者必须在下半身有强壮的肌肉。

例如, 掌根前击面部不仅仅是一系列匆忙的动作; 它应该是沉重但敏捷的。鹤立步金刚格挡应该慢慢地进行, 绷紧全身, 特别是下腹部。另外, 在马步中, 你将练习转移重心和使用身体的中心轴。

(1) 金刚品势线

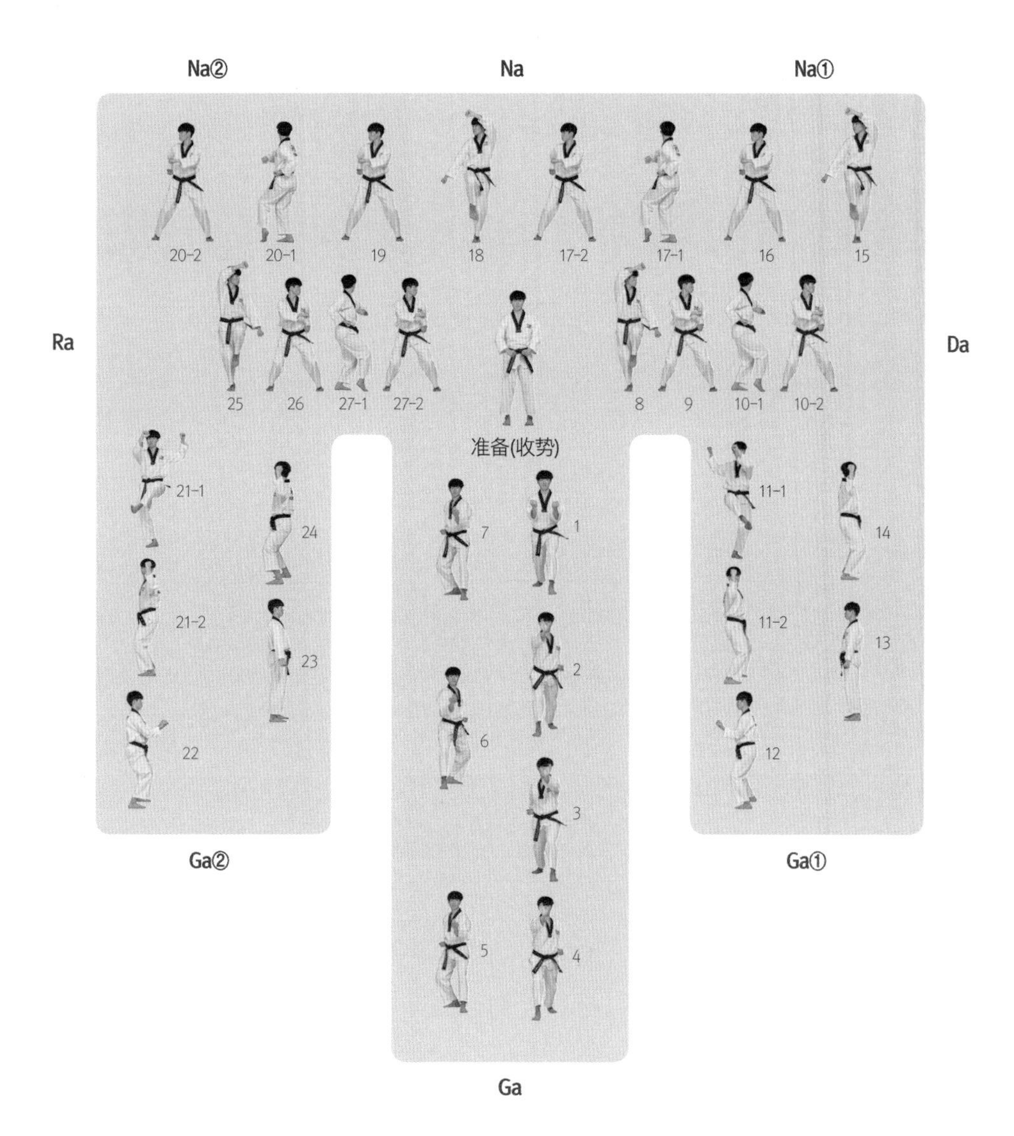

Na②
Na
Na①
20-2
20-1
19
18
17-2
17-1
16
15
Ra
25
26
27-1
27-2
8
9
10-1
10-2
Da
准备(收势)
21-1
24
7
1
11-1
14
21-2
23
2
11-2
13
6
22
12
3
Ga②
Ga①
5
4
Ga

(2) 品势说明

顺序	视线	位置	站姿	动作	品名
准备	Ga	Na	并排步	左脚张开, 双拳自丹田提起, 至胸口后再放下	基本准备
1	Ga	Ga	左前弓步	迈步	内手腕交叉分开格挡
2	Ga	Ga	右前弓步	迈步	右上段掌根前击打
3	Ga	Ga	左前弓步	迈步	左上段掌根前击打
4	Ga	Ga	右前弓步	迈步	右段掌根前击打
5	Ga	Na	右后弓步	后退一步	左手刀内格挡
6	Ga	Na	左后弓步	后退一步	右手刀内格挡
7	Ga	Na	右后弓步	后退一步	左手刀内格挡
8	Da	Na	右鹤立步	收左脚抬起	金刚格挡
9	Da	Da	马步	左脚放下	左双手大铰链击
10	Da	Da	马步	向左转, 移动右脚, 再移动左脚(360度转身)	左双手大铰链击
11	Ga①	Ga①	马步	右脚抬起做右踩脚	山形格挡 发声
12	Ra	Ga①	马步	向右转, 移动左脚 (180度转身)	内手腕交叉分开格挡
13	Ra	Ga①	并排步	收左脚并站直	下段交叉分开格挡
14	Na①	Da	马步	转动左脚, 以右脚为支点顺时针转身 (180度转身), 左脚抬起做左踩脚	山形格挡
15	Ra	Da	左鹤立步	以左脚为支点顺时针转身	金刚格挡

顺序	视线	位置	站姿	动作	品名
16	Ra	Na	马步	右脚放下	右双手大铰链击
17	Ra	Na	马步	以右脚为轴顺时针转动左脚,再以左脚为支点顺时针转动右脚(360度转身)	右双手大铰链击
18	Ra	Na	左鹤立步	收右脚	金刚势格挡
19	Ra	Ra	马步	右脚放下	右双手大铰链击
20	Ra	Ra	马步	以右脚为支点转动左脚,再以左脚为支点顺时针转动右脚(360度转身)	右双手大铰链击
21	Ga②	Ga②	马步	左脚抬起做左踩脚	山形格挡 发声
22	Da	Ga②	马步	以左脚为支点顺时针转身(180度转身)	内手腕交叉分开格挡
23	Da	Ga②	并排步	收右脚并站直	下段交叉分开格挡
24	Na②	Ra	马步	以左脚为支点逆时针转身(180度转身),右脚抬起做踩脚	山形格挡
25	Da	Ra	右鹤立步	以右脚为支点逆时针转身,收左脚	金刚格挡
26	Da	Ra	马步	左脚放下	左双手大铰链击
27	Da	Na	马步	移动右脚逆时针旋转,再逆时针转动左脚(360度转身)	左双手大铰链击
收势	Ga	Na	并排步	收左脚	基本准备(收势)

(3) 本文

准备

在 “Na” 的位置上,
面向 “Ga” 的方向做
基本准备

“Ga” 方向

左脚迈步做左前弓步,
内手腕交叉分开格挡

“Ga” 方向

右脚迈步做右前弓步,
右上段掌根前击打根前击面部

“Ga” 方向

左脚迈步做左前弓步,
左上段掌根前击打根前击面部

“Ga” 方向

右脚迈步做右前弓步,
右上段掌根前击打根前击面部

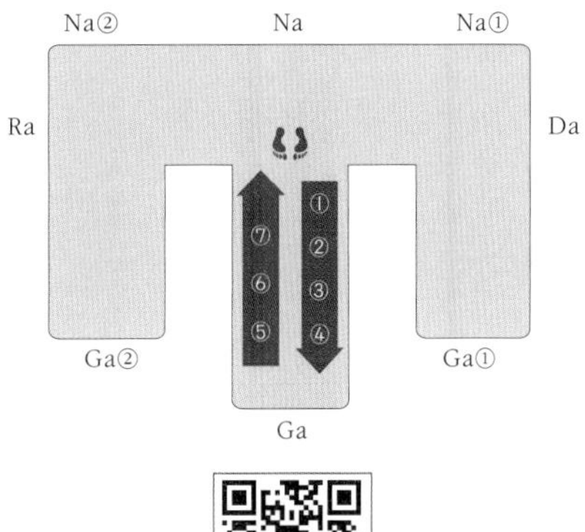

"Na" 方向

右脚向 "Na" 方向后退一步，
做右后弓步，左手刀内格挡

"Na" 方向

左脚向 "Na" 方向后退一步，
做左后弓步，右手刀内格挡

"Na" 方向

右脚向 "Na" 方向后退一步，
做右后弓步，左手刀内格挡

"Da"方向

在原始位置，右脚在"Na"位置，收拢左脚，做右脚鹤立步，金刚格挡

"Da"方向

左脚侧向迈步，做马步，左双手大铰链击

"Da"方向

逆时针转身，在"Da"线上移动右脚，之后再在"Da"线上逆时针移动左脚（360度转身）

※ 紧张丹田部位，缓慢做金刚格挡。

※ 在 5、6、7 和 8 中，同时后移重心并旋转中心轴。

※ 在后滑步，滑步方向应为直线。

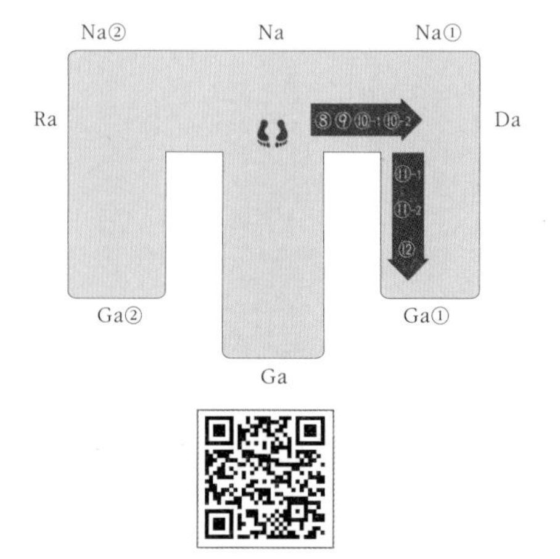

"Da" 方向

做马步, 左双手大铰链击

"Ga①" 方向

以左脚为支点,
右脚移动至 "Ga①" 线上

"Ga①" 方向

踩脚和马步泰山格挡(山形格挡)

※ 在转身迈步时, 保持身体姿势同样的高度和脚尖之间的一个脚的距离。

※ 在做转身步时, 要保持在同一演武线上。

※ 将执行踩脚的脚放在支撑脚的膝盖上, 脚刀背朝向 "Ga①" 方向, 并使用上下身体扭转并释放的弹力做泰山格挡 (山形格挡)

"Ra" 方向

以右脚为支点向右转, 做马步,
内手腕交叉分开格挡
(左手臂交叉在右手臂上方)

"Ra" 方向

以右脚为支点顺时针转动并迈左脚,
接着以左脚为支点顺时针转动并迈右脚
(360度转身)

"Ra" 方向

右脚侧滑步, 做马步,
右双手大铰链击

"Ra" 方向

左脚不动, 做左脚鹤立步金刚格挡

"Ra" 方向

做马步, 右双手大铰链击

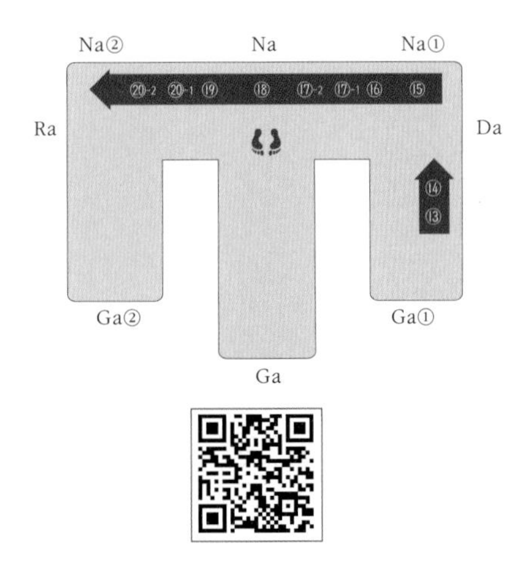

※ 在转身迈步时, 保持身体姿势同样的高度和脚尖之间的一个脚的距离。

※ 在做转身步时, 要保持在同一演武线上。

“Ra” 方向

做马步，右双手大铰链击

“Ra” 方向

以右脚为支点顺时针转动并迈左脚，
接着在 “Na” 的位置以左脚为支点顺时
针转动并迈右脚(360转身)

“Ra” 方向

右脚侧滑步，做马步，
右双手大铰链击

“Da” 位置

以左脚为支点顺时针转身，
做左脚鹤立步，金刚格挡
收紧丹田，缓慢呼吸。

“Na①” 方向

以右脚为支点顺时针转动并迈
左脚到 “Da” 线上，
做踩脚和马步泰山格挡(山型格挡)

“Ra” 方向

右脚保持原位，收左脚，做并排步，
缓慢做下段交叉分开格挡吸气
(左手臂交叉在右手臂上面)

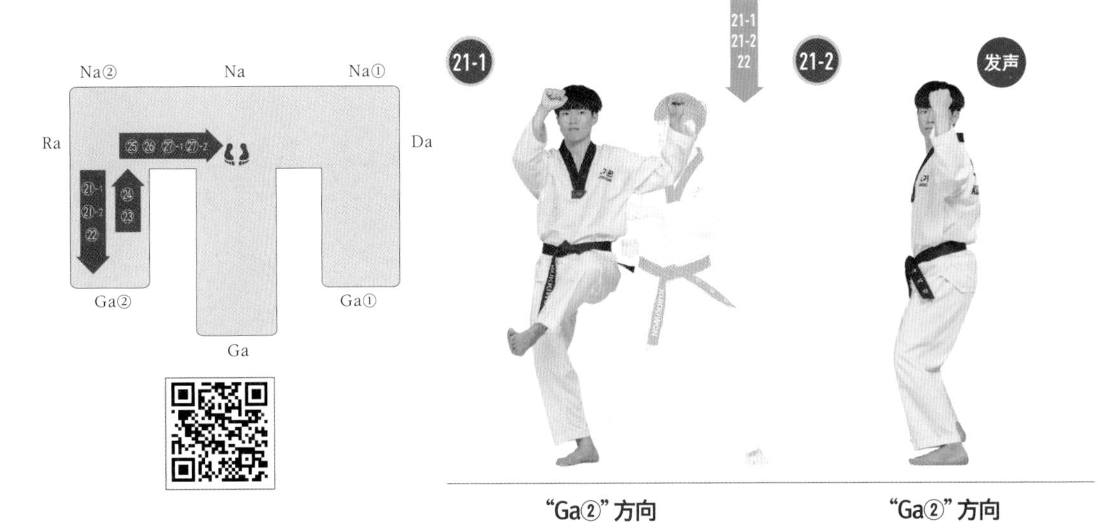

"Ga②" 方向

以右脚为支点顺时针转动并抬左脚
(过支撑膝的高度, 脚刀背朝前,
使用身体扭转并释放的弹性)

"Ga②" 方向

踩脚和马步泰山格挡(山形格挡)

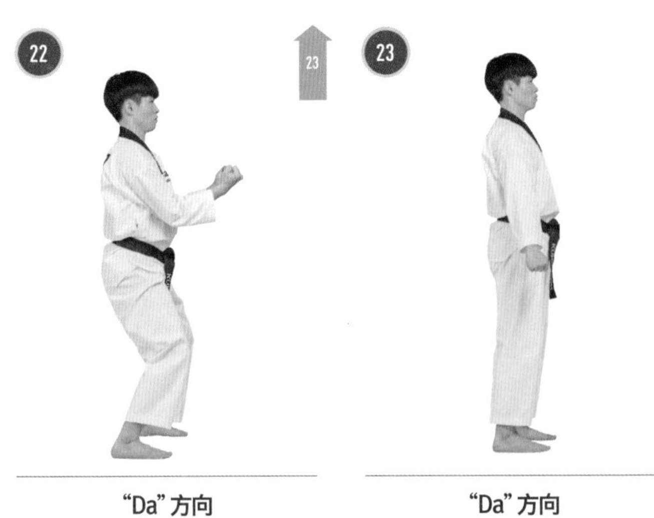

"Da" 方向

以左脚为支点, 逆时针转身并迈右脚到
"Ga②" 线上, 做马内手腕交叉分开格挡
(右手臂交叉在左手臂上面)

"Da" 方向

左脚保持原位, 收右脚, 做并排步,
下段交叉分开格挡
(右手臂交叉在左手臂上面)

24

“Na②” 方向

以左脚为支点,
逆时针转身并抬右脚,
做踩脚至 “Ra” 的位置,
马步泰山格挡(山型格挡)

25

“Ra” 方向

以右脚为支点逆时针转身,
收左脚, 做右脚鹤立步金刚格挡

26

“Da” 方向

左脚迈步放下, 做马步,
左双手大铰链击

27-1

“Da” 方向

逆时针转身并迈右脚到 “Na” 线上,
然后逆时针转身并迈左脚到
“Na” 线上(360度转身)

27-2

“Da” 方向

做马步, 左双手大铰链击

收势

收势

“Na” 位置, 右脚保持原位, 收左脚,
面向 “Ga” 的方向, 做基本收势

※ 在转身迈步时, 保持身体姿势同样的高度和脚尖之间的一个脚的距离。

※ 在做转身步时, 要保持在同一演武线上。

太白

太白品势的意义

太白指的是红山（明山），也就是朝鲜古代的阿斯达所在地的神圣之山。明亮的山代表精神和传统的起源、神圣以及弘益人间的思想。太白有很多不同的位置和名字，但白头山是其代表之处——象征人民的子宫。因此，这个品势是基于朝鲜古国——韩国的第一个王国的传奇创始人和神王檀君的崇高理想来设立的。

太白代表了已经掌握了太极等级，能够有意识地在阴阳之间转换的武术家的特征。其品势线遵循“工”字的形状。“工”字的水平线代表天和地，竖直线代表人。因此，它指的是一个经过训练并掌握了接收天地能量的人。它指的是这样一个阶段：所有身体部位都能瞬间自由地反应，以在防御和进攻之间进行转换。太白品势训练一个人掌握在阴阳或攻防之间的转换。因此，它可以用来制服对手而不伤害那些可能会鲁莽行为的人，最终通过武术达到弘益人间的理想：“广泛惠及人间”。

练习目标

在这个阶段，你将学习的新技术包括手刀下段挣开格挡，双手外向格挡，和抽手腕，以及一种新的使用身体的方式，即在身体向一个方向旋转的同时进行内手腕金刚外格挡。

拉冲拳，包括向内扭转腕部并旋转的技术，用于对方抓住你的手腕的情况。接下来的两种类似技术可以根据具体情况进行不同的使用：一种是在握住手肘作为轴心、向前移动重心使用体重的同时，撬开手腕；另一种是通过将对方的直线攻击推向外侧改变其方向作为反攻。修炼者将学习如何根据情况使用它们，并在它们之间进行切换以连接动作。通过连接内手腕金刚外格挡、拉冲拳、冲拳、侧踢和掌内击，你将训练如何快速放松和收紧肌肉以迅速改变中心轴。特别是，你可以训练在向下拉手腕、转身360度、迈出一步执行背拳外击打面部的同时，如何保持平衡和敏捷。

(1) 太白品势线

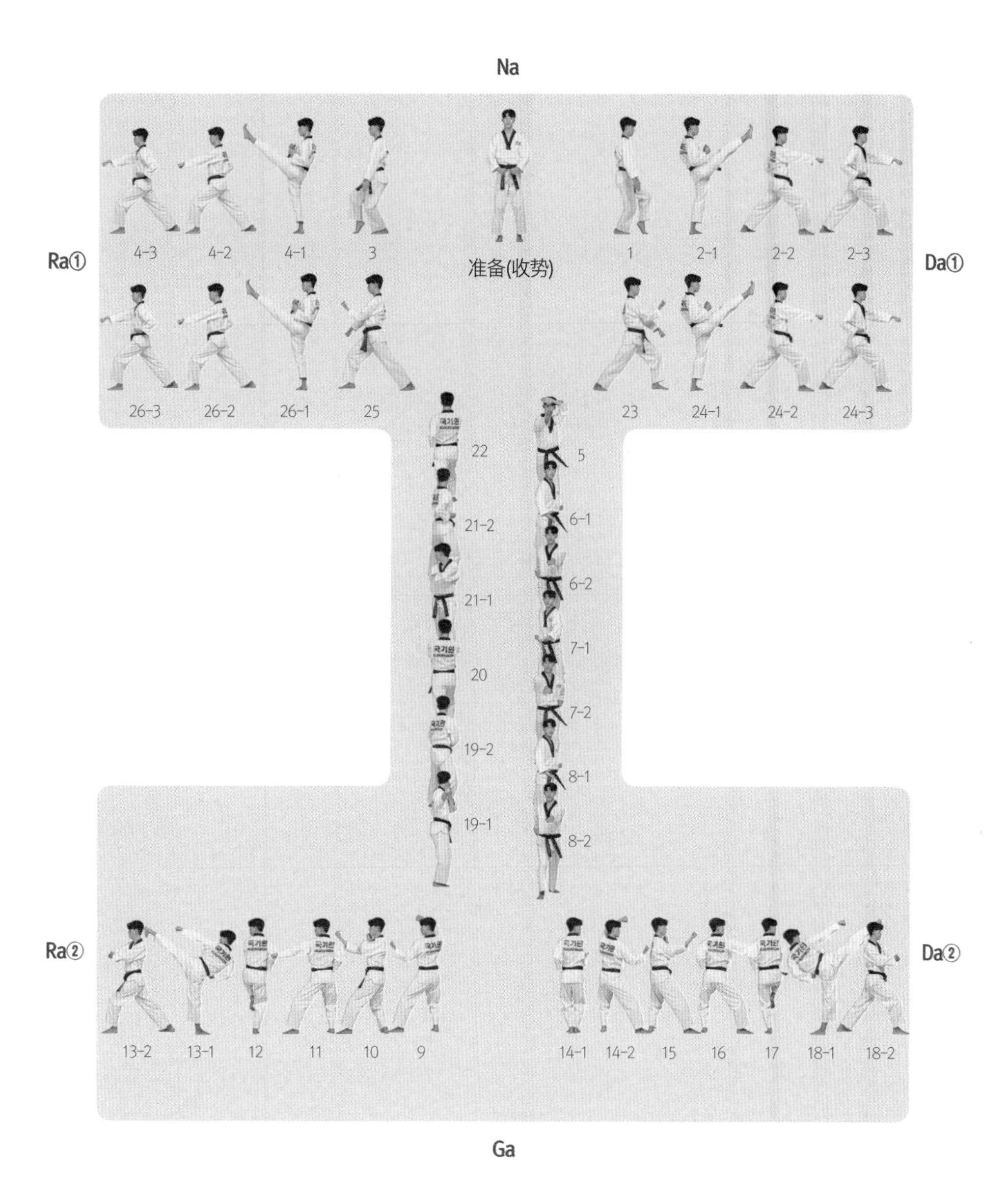
Na
Ra①
Da①
4-3
4-2
4-1
3
准备(收势)
1
2-1
2-2
2-3
26-3
26-2
26-1
25
23
24-1
24-2
24-3
22
21-2
21-1
20
19-2
19-1
5
6-1
6-2
7-1
7-2
8-1
8-2
Ra②
Da②
13-2
13-1
12
11
10
9
14-1
14-2
15
16
17
18-1
18-2
Ga

侧视图
19-2
20
21-1
21-1
21-2
22

(2) 品势说明

顺序	视线	位置	站姿	动作	品名
准备	Ga	Na	并排步	左脚张开，双拳自丹田提起，至胸口后再放下	基本准备
1	Da①	Da①	左虎步	左脚迈步	下段手刀交叉分开格挡
2	Da①	Da①	右前弓步	右脚前踢并迈步	两次冲拳
3	Ra①	Ra①	右虎步	右脚以左脚为支点顺时针转身	下段手刀交叉分开格挡
4	Ra①	Ra①	左前弓步	左脚前踢并迈步	两次冲拳
5	Ga	Ga	左前弓步	左脚以右脚为支点转身	颈部右燕手刀内击打
6	Ga	Ga	右前弓步	转动并收右手，右脚迈步	左冲拳
7	Ga	Ga	左前弓步	转动并收左手，左脚迈步	右冲拳
8	Ga	Ga	右前弓步	转动并收右手，右脚迈步	左冲拳 发声
9	Ra②	Ra②	右后弓步	转身移动左脚	内手腕金刚外格挡
10	Ra②	Ra②	右后弓步	原地站姿	右拉上冲拳
11	Ra②	Ra②	右后弓步	原地站姿	左冲拳
12	Ra②	Ra②	右鹤立步	收左脚	右双手小铰链击
13	Ra②	Ra②	左前弓步	左脚侧踢并迈步，左锤拳外击打	右臂肘掌心前击打
14	Da②	Da②	左后弓步	收左脚，双脚并步站立，然后立即迈右脚	内手腕金刚外格挡

顺序	视线	位置	站姿	动作	品名
15	Da②	Da②	左后弓步	原地站姿	左拉上冲拳
16	Da②	Da②	左后弓步	原地站姿	右冲拳
17	Da②	Da②	左鹤立步	收右脚	左双手小铰链击
18	Da②	Da②	右前弓步	右脚侧踢并迈步, 右锤拳外击打	左臂肘掌心前击打
19	Na	Ga	右后弓步	收右脚, 双脚并步站立, 然后迈左脚	左手刀助手外格挡
20	Na	Na	右前弓步	右脚迈步, 做左下压格挡	右助手立刺击
21	Na	Na	右后弓步	以右脚为支点逆时针转动左脚, 拉出右手腕	左背拳外击打面部
22	Na	Na	右前弓步	右脚迈步	右冲拳 发声
23	Da①	Da①	左前弓步	转动左脚	剪刀格挡
24	Da①	Da①	右前弓步	右脚前踢并迈步	两次冲拳
25	Ra①	Ra①	右前弓步	右脚以左脚为支点顺时针 转身	剪刀格挡
26	Ra①	Ra①	左前弓步	左脚前踢并迈步	两次冲拳
收势	Ga	Na	并排步	左脚以右脚为支点转身	基本准备(收势)

(3) 本文

准备

在 “Na” 的位置上,
面向 “Ga” 的方向做
基本准备

“Da①” 方向

左脚迈步做左虎步,
下段手刀交叉分开格挡

“Da①” 方向

右脚前踢并迈步

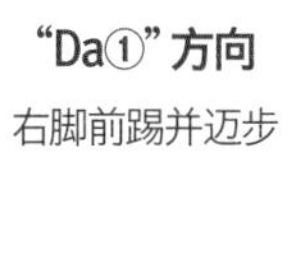

“Ra①” 方向

两次冲拳(右手冲拳, 原地站姿)

“Ra①” 方向

左脚前弓步,
两次冲拳(左手冲拳)

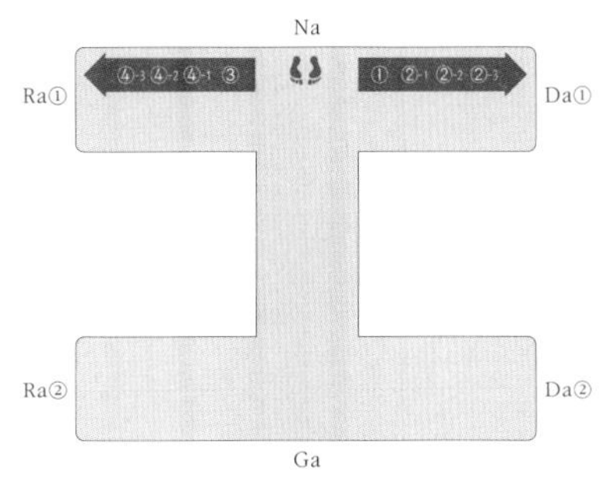

“Da①”方向

右脚前弓步,
两次冲拳(右手冲拳)

“Da①”方向

两次冲拳
(左手冲拳, 原地站姿)

※连接 2-1 、2-2 和 2-3 中的动作。

“Ra①”方向

左脚前踢并迈步

“Ra①”方向

右脚以左脚为支点顺时针转身,
做右虎步, 下段手刀交叉分开格挡

"Ga" 方向

以右脚为支点逆时针转身,
左脚迈步做左前弓步,
颈部右燕手刀内击打

"Ga" 方向

重心前移(至左脚), 向外旋转右手,
拉对手的手腕

"Ga" 方向

右脚迈步做右前弓步, 左手冲拳

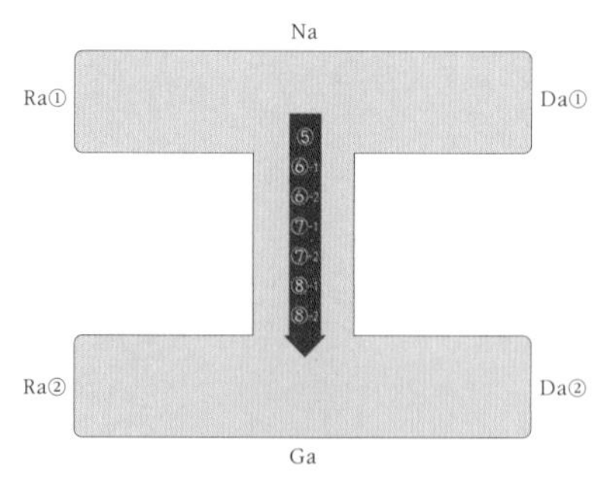

"Ga" 方向
重心前移(至右脚),
向内旋转左手, 收左手

"Ga" 方向
左脚迈步做左前弓步, 右手冲拳

"Ga" 方向
重心前移(至左脚),
向内旋转右手, 收右手

"Ga" 方向
右脚迈步做右前弓步, 左手冲拳

※ 在执行 6 、 7 和 8 中的旋转或扭转时, 应臂肘为轴心(掌心朝上), 伸直臂肘, 然后臂肘向外弯曲, 从前向内划一个圆形, 臂肘向下(掌心朝外), 抓住对手的手腕并扭转它来执行冲拳。

“Ra②” 方向

双脚同位,
右脚(原地站姿)做右后弓步,
左手冲拳

※ 吸气时, 放松双臂, 收左拳至髂骨, 同时伸收右臂, 并用左手做冲拳。

“Ra②” 方向

收左脚, 右脚做鹤立步,
右双手小铰链击

“Ra②” 方向

从向右的双手小轮击,
以锤拳做外击打,
同时做左脚侧踢并迈步

“Ra②” 方向

左前弓步, 右臂肘掌心前击打

※ 同步好左腿和左手臂的动作, 在做侧踢时, 让左腿和左臂保持平行。

※ 连接 13-1 和 13-2 中的动作。

“Ra②” 方向

重心移到右脚,
逆时针转身左脚迈步,
右脚做后弓步, 内手腕金刚外格挡

※ 当向前移动重心时, 将双拳放在髂骨处,
再将拳头像双手小轮击那样拉至中心线,
做金刚外格挡。

“Ra②” 方向

双脚同位,
右脚(原地站姿)做右后弓步,
左拉上冲拳

※ 在 10 和 11 的动作中, 注意动作的精确,
以保持双臂的力量和速度。

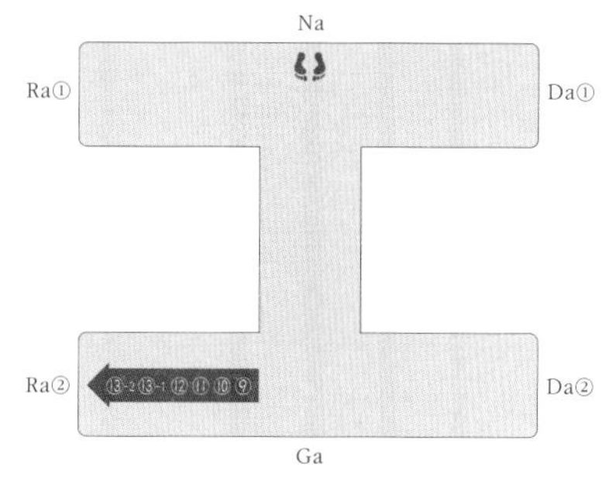

“Da②” 方向

双拳在腰部左侧,
看向 “Da②” 方向, 左脚收拢,
向左做左双手小铰链击

“Da②” 方向

双脚收拢后(保持姿势高度),
立即以右脚向前迈步, 做左后弓步,
内手腕金刚外格挡

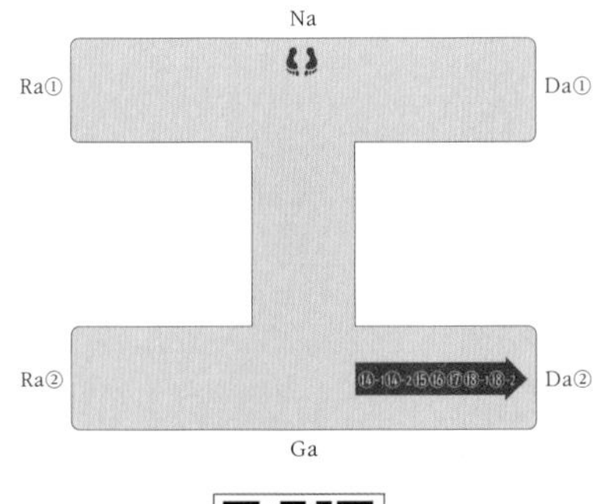

"Da②" 方向

双脚同位，左脚(原地站姿)
做左后弓步，左拉上冲拳

"Da②" 方向

双脚同位，左脚(原地站姿)
做后弓步，右手冲拳

"Da②" 方向

转移重心至左脚，
收右脚做左鹤立步，
向左做左双手小铰链击

※ 在第 16 步中，吸气并放松双臂。右拳朝着髂骨方向拉，同时伸收右臂，右手冲拳。拉左臂，注意左臂保持与右臂相同的紧张程度。

※ 在 15 和 16 的动作中，注意动作的精确，以保持双臂的力量和速度。

"Da②" 方向

向左做双手小轮击，
以右锤拳做外击打，
同时做右脚侧踢并迈步

"Da②" 方向

右前弓步，左臂肘掌心前击打

※ 同步好右腿和右手臂的动作，在做侧踢时，让左腿和左臂保持平行。

※ 连接 18-1 和 18-2 中的动作。

20

侧视图

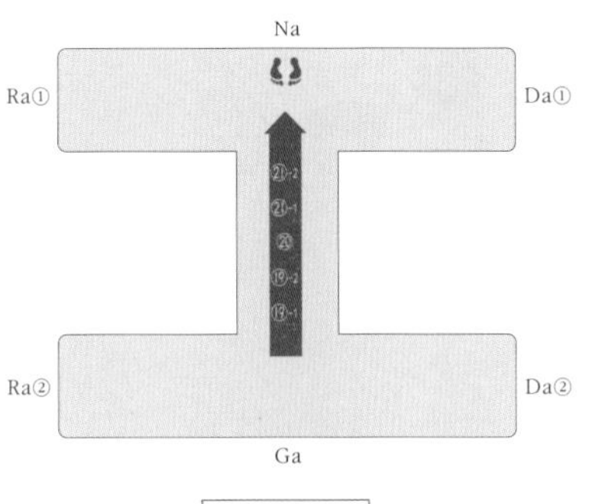

“Na”方向

右脚迈步, 做左掌根下压格挡,
右前弓步, 右手尖助手立刺击

19-1

19-2

19-2

20
19-2
19-1

侧视图

“Na”方向

看着 “Na” 方向,
左脚放在 “Ga” 的位置,
收右脚后双脚并拢

“Na”方向

左脚向 “Na” 方向迈步
做右后弓步,
左手刀助手外格挡

21-2

"Na" 方向

重心移到右脚, 逆时针转身左脚落到
"Na" 线上, 右脚做后弓步,
左背拳外击打面部

侧视图

※ 连接 21-1 和 21-2 中的动作。

※ 在背拳外击打面部中, 弯曲臂肘以攻击对手的面部。

21-2
21-1

21-1

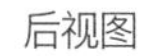

后视图

侧视图

"Na" 方向

以右脚为支点逆时针转身,
左脚做左前弓步, 并将右手腕收到腰后

※ 在将右手腕收到腰后的同时, 将左脚向左移动。

“Na”方向

右脚迈步做右前弓步, 右手冲拳

侧视图

“Da①”方向

以右脚为支点逆时针转身,
左脚迈步做左前弓步, 剪刀格挡

收势

在 “Na” 位置,
以右脚为支点逆时针转身,
面向 “Ga” 的方向, 做基本收势

“Ra①”方向

两次冲拳(右手冲拳, 原地站姿)

“Ra①”方向

左前弓步, 两次冲拳(左手冲拳)

※ 连接 26-1, 26-2 和 26-3 中的动作。

"Da①" 方向
右脚前踢并迈步

"Da①" 方向
右前弓步, 两次冲拳(右手冲拳)

"Da①" 方向
两次冲拳(左手冲拳, 原地站姿)

※ 连接  24-1、24-2 和 24-3 中的动作。

"Ra①" 方向
左脚前踢并迈步

"Ra①" 方向
右脚以左脚为支点顺时针转身,
做右前弓步, 剪刀格挡

平原

平原品势的意义

平原代表着向四面八方广阔延展的大地。这象征着生命的保护，作为生物的母亲和人类生活的基础，人类是万物的首领。这个形的创编基于“主体”和“用”的理念，体现了和平与斗争。

这个阶段可以看作是过渡期——从武术技术转变为武术艺术。一旦你掌握了初级阶段的太极品势系列，你将学习高丽、金刚和太白——初级段位的第一批品势。随后，你将通过连接身体、能量和意识学习一步一步地结合阴阳。换句话说，通过练习，身体可以自由地以各种形式使用，包括多种变化。多变的动作表明攻防是无意识的，即使经过激烈的动作，身体也能恢复到原来的平静状态，不会激动。

练习目标

在平原品势中，左手叠在上的叠手准备姿势是一种从人体力量来源——丹田收集并获得能量的姿势。臂肘上击下巴是一种短距离攻击。要在短距离内执行向上打，你需要学习通过扭动身体使用力量。后转身侧踢是在平原中引入的新技术；它帮助理解中心轴，没有这个，保持平衡就变得相当困难。

通过手刀助手外格挡、下手刀助手格挡、内手腕助手上段侧格挡和背拳助手前击面部的连接，可以执行各种攻防动作。这些包括用脚或手来阻挡来自多个方向的攻击的阻击格挡、躯外格挡和抓住。此外，你将通过泰山挣开格挡（山型挣开格挡）训练身体如何通过制造上升曲线向外使用力量。

(1) 平原品势线

Na

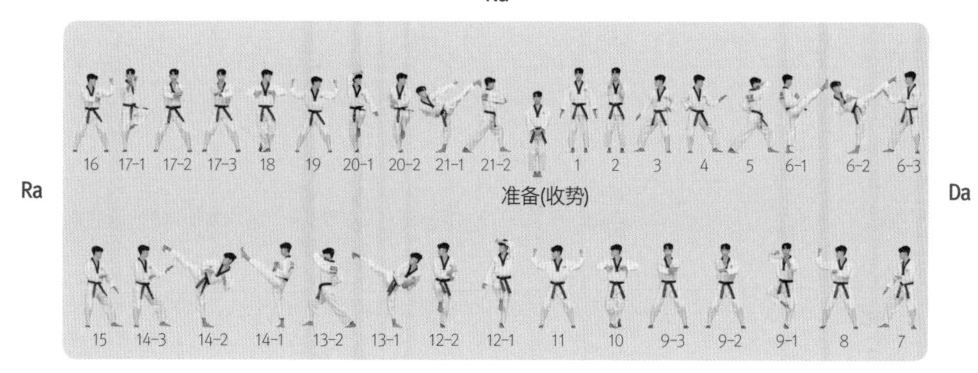
Ra
Da
16 17-1 17-2 17-3 18 19 20-1 20-2 21-1 21-2 1 2 3 4 5 6-1 6-2 6-3
准备(收势)
15 14-3 14-2 14-1 13-2 13-1 12-2 12-1 11 10 9-3 9-2 9-1 8 7

Ga

(2) 品势说明

顺序	视线	位置	站姿	动作	品名
准备	Ga	Na	并步	左手应以十字形覆盖 在右手的背面	叠手准备
1	Ga	Da	并排步	左侧滑步	下段手刀交叉分开格挡
2	Ga	Da	并排步	原地站姿	推圆柱准备
3	Ra	Ra	左后弓步	右脚迈步	右手刀下段格挡
4	Da	Ra	右后弓步	左脚以右脚为支点顺时针 转身	左手刀外格挡
5	Da	Da	左前弓步	左脚迈步	下颌右臂肘上击打
6	Ra	Da	左后弓步	右前踢, 迈步, 左脚后转, 左侧踢, 并向“Da”方向迈步	右手刀助手外格挡
7	Ra	Da	左后弓步	原地站姿	右下段手刀助手格挡
8	Ra	Da	马步	原地站姿	右内手腕助手上段侧格挡
9	Ga	Da	马步	右踩脚	右背拳助手前击面部, 发声, 左背拳助手前击面部
10	Ra	Da	左前交叉步	左脚迈步	双肘横击
11	Ra	Na	马步	移动右脚做侧滑步	山形挣开格挡
12	Ra	Na	左鹤立步	收右脚	金刚格挡
13	Ra	Ra	右前弓步	右脚侧踢并迈步	下颌左臂肘上击打

顺序	视线	位置	站姿	动作	品名
14	Da	Ra	右后弓步	左前踢, 迈步, 右脚后转, 右侧踢, 并向"Ra"方向迈步	左手刀助手外格挡
15	Da	Ra	右后弓步	原地站姿	左下手刀助手格挡
16	Da	Ra	马步	原地站姿	左内手腕助手上段侧格挡
17	Ga	Ra	马步	右踩脚	左背拳助手前击面部, 发声, 右背拳助手前击面部
18	Da	Ra	右前交叉步	右脚迈步	双肘横击
19	Da	Ra	马步	左脚迈步	泰山挣开格挡(山形挣开格挡)
20	Da	Na	右鹤立步	收左脚抬起	金刚格挡
21	Da	Na	左前弓步	左侧踢, 迈步, 左锤拳外击打	臂肘掌心前击打
收势	Ga	Na	并步	收左脚	叠手收势

(3) 本文

准备

准备

在 “Na” 的位置上,
面向 “Ga” 的方向做
并步叠手准备

1

“Ga” 方向

左脚原位侧滑步,
做并排下段手刀交叉分开格挡

※ 两手上抬时吸气, 两掌相对时呼气。缓慢完成所有过程, 注意动作与呼吸的协调。

2

“Ga” 方向

原地站姿, 从丹田移动双手至人中高度,
掌心相对, 原位做并排步推圆柱准备

3

“Ra” 方向

右脚迈步做左后弓步, 右手刀下格挡

4

“Da” 方向

以右脚为支点逆时针转身,
左脚迈步做右后弓步, 左手刀外格挡

5

“Da” 方向

左脚迈步做左前弓步,
下颌右臂肘上击打

"Da" 方向
右脚前踢并迈步

"Da" 方向
向后转, 用左脚侧踢

"Ra" 方向
迈步做左后弓步, 右手刀助手外格挡

※ 连接前踢、后转身侧踢和手刀助手外格挡(6-1 , 6-2 和 6-3) 这三个动作, 不允许有中断。

"Ga" 方向
原地马步, 做左背拳助手前击面部

"Ga" 方向
马步踩脚, 右背拳助手前击面部

"Ga" 方向
将右脚向左膝内侧收,
接触膝盖后立即放下

※ 在做右背拳助手前击面部时, 左臂伸前去拉对手, 并以右背拳做助手前击面部, 击打对手的生命点。

※ 连接 9-2 和 9-3 中的动作。

"Ra" 方向
向左做双手小轮击

"Ra" 方向
左脚不动, 收右脚并抬起,
做左脚鹤立步金刚格挡

※ 连接 12-1 和 12-2 中的动作。

“Ra” 方向

原地站姿，同样位置做左后弓步，
右下段手刀助手格挡

“Ra” 方向

双脚保持原位，做马步，
右内手腕助手上段侧格挡

※ 助手手臂放在胸前，拳背向上。

“Ra” 方向

右脚不动，移动左脚至右脚前方，
做左前交叉步，双肘横击

※ 双肘横击时，在胸前，将左臂交叉放在右臂上方。
※ 保持双臂平行。

“Ra” 方向

左脚不动，右脚向右侧迈步，做马步，
山形挣开格挡

※ 格挡时，将右臂交叉放在左臂上方。
※ 山形挣开格挡时，两只手腕应与人中线同高。
※ 保持拳头和肘部垂直于地面，手腕保持正直。

"Da" 方向

右后弓步, 左手刀助手外格挡

"Ra" 方向

右脚向后转, 做侧踢,
并向 "Ra" 位置迈步

※ 连接 14-1, 14-2 和 14-3 中的动作。

"Da" 方向

原地站姿, 做右后弓步,
左手刀助手下格挡

"Da" 方向

双脚保持原位, 做马步,
右内手腕助手上段侧格挡

"Ga" 方向

将左脚向右膝内侧收,
接触膝盖后立即放下

※ 助手手臂放在胸前, 拳背向上。

“Ra” 方向
右脚前踢并随后迈步

“Ra” 方向
右前弓步, 下颌左臂肘上击打
(抬拳放在耳旁)

“Ra” 方向
右脚侧踢并迈步

※ 连接 13-1 和 13-2 中的动作。

“Ga” 方向
马步踩脚, 左背拳助手前击面部

“Ga” 方向
原地马步, 做右背拳助手前击面部

※ 在做左背拳助手前击面部时, 右臂伸前去拉对手, 并以右背拳做助手前击面部, 击打对手的生命点。

※ 连接 17-1、17-2 和 17-3 中的动作。

“Da” 方向

移动左脚至右脚前方,
做右前交叉步, 双肘横击

※ 双肘横击时, 在胸前, 将右臂交叉放在左臂上方。

※ 保持双臂平行。

“Da” 方向

左脚迈步, 做马步,
泰山挣开格挡(山形)

※ 格挡时, 将左臂交叉放在右臂上方。

※ 两只手腕应与人中线同高。

※ 保持拳头和肘部垂直于地面, 手腕保持正直。

“Da” 方向

右脚不动, 收左脚并抬起,
做右脚鹤立步金刚格挡

※ 连接 20-1 和 20-2 中的动作。

"Da" 方向

向右做双手小轮击(原地鹤立步)

"Da" 方向

左锤拳外击打,
同时做左脚侧踢并迈步

"Da" 方向

左前弓步, 臂肘掌心前击打

※ 连接 21-1 和 21-2 中的动作。

收势

从 "Na" 的位置, 面向 "Ga" 方向,
右脚保持不动, 收左脚与右脚并拢,
叠手收势

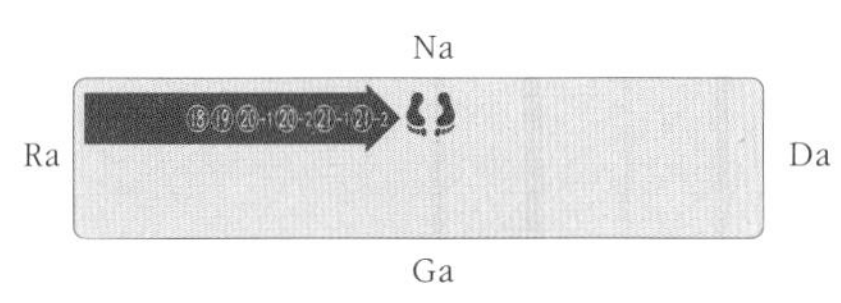

十进

十进品势的意义

十进代表道家思想中的十种长寿生物，包括两个天体、三个自然物体、两种植物和三种动物：太阳、月亮、山、水、石头、松树、长生不老草、乌龟、鹿和鹤。它象征着伟大的自然、人们的信任、欲望和爱。

其品势线遵循“十”字形，这是十进的哲学基础，一个无限的十进制系统，和持续的发展。因此，在广义上，十进涉及到十种生物、整个宇宙，以及随着季节变化——从春天到夏天，秋天和冬天——所有生物的诞生和死亡过程和能量的变化。在狭义上，它象征着人的微观宇宙。因此，当应用到人体时，十进反映出必须识别的身心变化，以保持自然的流动。在练习方面，十进品势的动作必须被练习到能够无缝地执行它们，实现“防御即是攻击”和“攻击即是防御”。

十进品势线“十”的组织方式是，无论向前或向后，向左或向右，攻击或防御，轴心的中心都必须保持在中心线上。轴心的中心是指保持颈部和尾骨在一条直线上。因此，十字架（十）的垂直线是一个状态，其中身体的力量和平衡与中心线对齐。在这里，修炼者将学习如何无缝地前后左右移动。

练习目标

十进品势是重量和敏捷性的结合。

推岩石是一种练习技术，通过集中呼吸在丹田以系统化从地面到手掌的力量传输，从而增强下半身的力量。在站姿中，中心线的对齐是重要的练习元素。长短拳利用两臂在同一方向的旋转力量实现等量的力量传输。你还将学习如何在一个方向旋转上半身时，如何牢固地踩在地上以传输力量，就像在长短拳中一样。

在练习双手小轮击和前踢时，你会了解到对手力的运作——上半身拉动和下半身踢出。外格挡和抓住之间的连接是通过手刀助手背外格挡来体会的。

十进品势的练习旨在获得使用力量和身体的技能，为练习高级品势做好准备。在这个阶段，修炼者将学习如何转移其重心以及使用身体的力量。

(1) 十进品势线

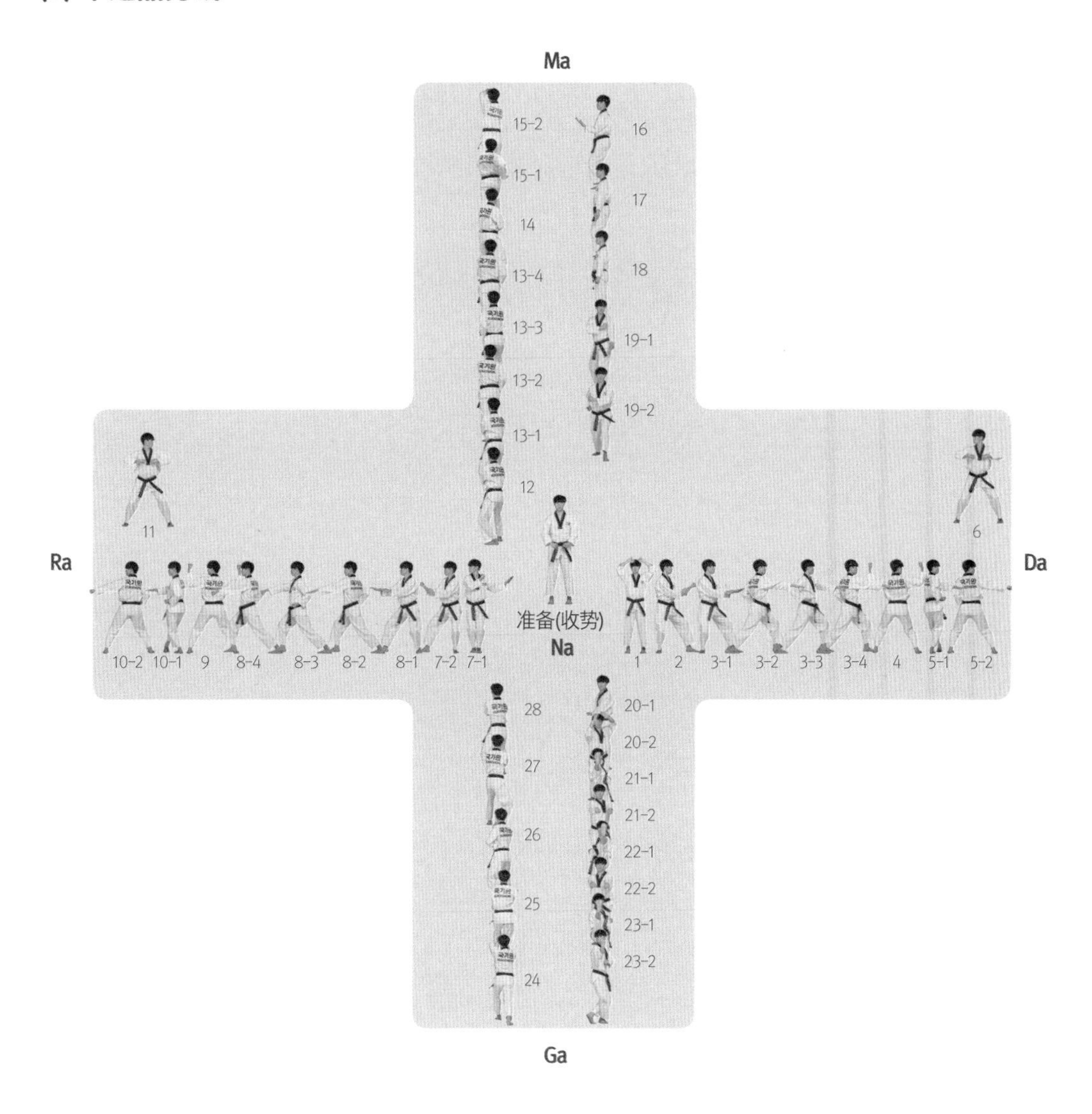
Ma
15-2
16
15-1
17
14
18
13-4
13-3
19-1
13-2
19-2
13-1
12
11
6
Ra
Da
准备(收势)
Na
10-2 10-1 9 8-4 8-3 8-2 8-1 7-2 7-1
1 2 3-1 3-2 3-3 3-4 4 5-1 5-2
28
20-1
20-2
27
21-1
21-2
26
22-1
22-2
25
23-1
23-2
24
Ga

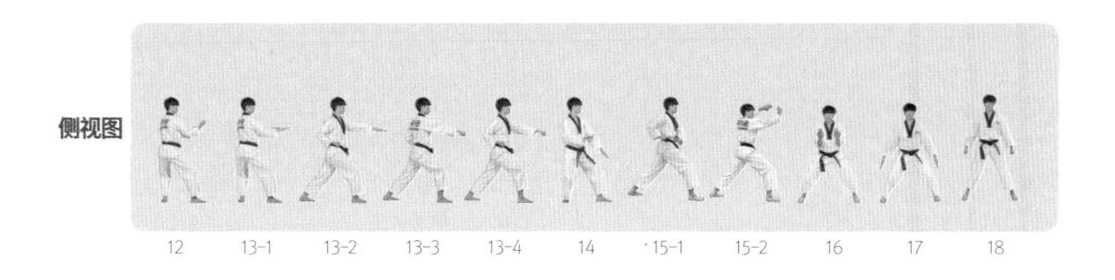
侧视图
12 13-1 13-2 13-3 13-4 14 15-1 15-2 16 17 18

(2) 品势说明

顺序	视线	位置	站姿	动作	品名
准备	Ga	Na	并排步	左脚张开, 双拳自丹田提起, 至胸口后再放下	基本准备
1	Ga	Na	并排步	双拳上举	牛角格挡
2	Da	Da	右后弓步	双臂伸向一侧, 左脚迈步	左内手腕助手外格挡
3	Da	Da	左前弓步	左脚迈步, 做右扣手刺击	两次冲拳
4	Da	Da	马步	右脚迈步 (身体面向"Na"方向)	泰山挣开格挡 (山形)
5	Da	Da	马步	移动左脚做交叉步, 再移动右脚	右侧冲拳 发声
6	Ra	Da	马步	左脚不动, 转动右脚 (身体面向"Ga"方向)	双肘横击
7	Ra	Na	左后弓步	右脚不动, 收左脚, 双脚并步站立, 然后立即迈右脚	右内手腕助手外格挡
8	Ra	Ra	右前弓步	右脚迈步, 做左扣手刺击	两次冲拳
9	Ra	Ra	马步	左脚迈步 (身体面向"Na"方向)	泰山挣开格挡 (山形)
10	Ra	Ra	马步	移动右脚做交叉步, 再移动左脚	左侧冲拳 发声
11	Da	Ra	马步	以右脚为支点转动左脚 (身体面向"Ga"方向)	双肘横击
12	Ma	Na	左后弓步	右脚以左脚为支点转身	右内手腕助手外格挡
13	Ma	Ma	右前弓步	右脚迈步, 做左扣手刺击	两次冲拳
14	Ma	Ma	右后弓步	左脚迈步	左下段手刀助手格挡

顺序	视线	位置	站姿	动作	品名
15	Ma	Ma	右前弓步	右脚迈步	推岩石
16	Ra	Ma	马步	右脚以左脚为支点移动	手刀背交叉分开格挡
17	Ra	Ma	马步	原地马步	下段手刀交叉分开格挡
18	Ra	Ma	远并排步	远并排步	下段交叉分开格挡
19	Ga	Ma	左前弓步	右脚原地不动, 推动左脚向前	拉上格挡
20	Ga	Ma	左前弓步	双脚位置固定站立	推岩石
21	Ga	Na	右前弓步	右脚前踢并迈步	长短拳
22	Ga	Ga	左前弓步	左脚前踢并迈步	长短拳
23	Ga	Ga	右后交叉步	右脚前踢并迈步	右背拳助手上段背拳击打 发声
24	Ma	Ga	左前弓步	以右脚为支点逆时针转身, 左脚迈步	推岩石
25	Ma	Ga	左虎步	右脚不动, 收左脚	下段手刀交叉格挡
26	Ma	Na	左后弓步	右脚迈步	扣手手刀助手外格挡
27	Ma	Na	右后弓步	左脚迈步	长短拳
28	Ma	Ma	左后弓步	右脚迈步	长短拳
收势	Ga	Na	并排步	以左脚为支点逆时针转身, 收右脚	基本准备(收势)

(3) 本文

准备

"Na" 位置

在 "Na" 的位置上，面向 "Ga" 的方向做基本准备

1-1

"Ga" 方向

原地并排步

※ 双拳举至做上段格挡的高度。

1-2

"Ga" 方向

双拳上举做牛角格挡

※ 两拳间隔一拳。

3-1 "Da" 方向

右后弓步，缓慢张开左拳并内转，左脚迈步

3-2 "Da" 方向

左前弓步，右手尖扣手刺击

3-3 "Da" 方向

左右两次冲拳

① 缓慢张开你的手指并紧绷它们

② 在张开手指的同时，向内转动手腕，在相同的位置紧绷右手，充分旋转左手腕。右手需覆盖在左手的背面上

③ 在用右手手尖执行扣手刺击前，右手的手掌会触摸到左手的背面

④ 左脚迈步，从后弓步变为弓步

⑤ 连贯地快速执行扣手刺击和双手冲拳

"Ga" 方向

在牛角格挡中根据脸部的
宽度张开双拳

"Da" 方向

左脚向 "Da" 方向迈步, 做右后弓步,
左内手腕助手外格挡

① 在格挡时, 将右手掌放在外手腕上并用力推动以增强力量

② 在格挡时, 让支撑手的中指触摸到整个手掌, 从格挡手臂的内手腕到外手腕

※ 连接 2-1 和 2-2 中的动作。

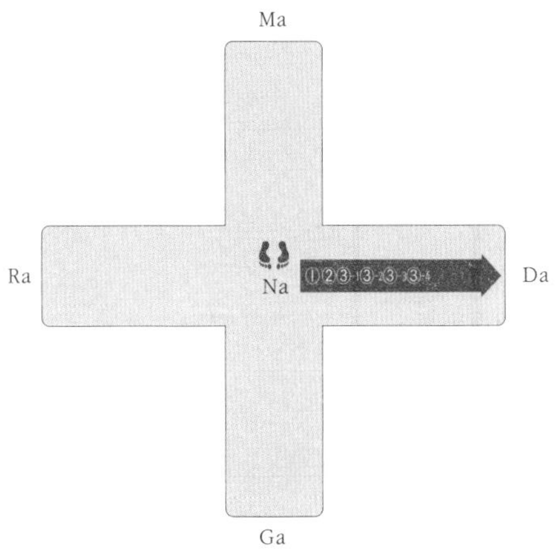

"Da" 方向
以左脚为支点心, 右脚迈步,
做马步泰山挣开格挡(山形)

※ 右手臂在左手臂的外侧交叉。

"Da" 方向
右脚交叉左脚, 做前交叉步

"Da" 方向
右脚迈步, 做马步, 右手腕侧冲拳

① 在做前交叉步时, 向右扭转身体和左手前臂至 "Ra" 的方向 (在胸口的高度覆盖和抓取)
② 右脚迈步, 收左拳同时做侧冲拳

※ 连接 5-1 和 5-2 中的动作。

"Ra" 方向
右左两次冲拳

"Ra" 方向
右前弓步
左手尖扣手刺击

"Ra" 方向
左后弓步,
缓慢张开右拳并内转,
右脚迈步

① 缓慢张开你的手指并紧绷它们
② 张开手指的过程中, 将手腕往内转
左手在同样的位置保持紧张, 当右手腕完全旋转时, 左手需覆盖在右手的背面上

③ 在用左手手尖执行扣手刺击前, 左手的手掌会触摸到右手的背面
④ 右脚迈步, 从后弓步变为弓步
⑤ 连贯地快速执行扣手刺击和双手冲拳

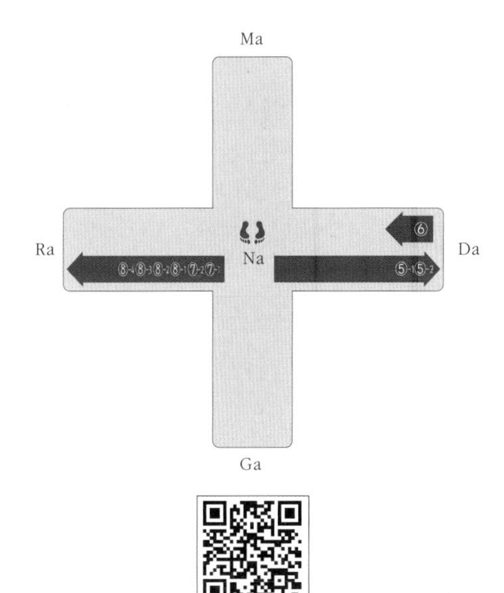

“Ra” 方向

右脚在 “Ra” 线上迈步,
做左后弓步,
右内手腕助手外格挡

“Ra” 方向

右脚保持原位, 收左脚至右脚旁并步

“Ra” 方向

右脚以左脚为支点逆时针转身,
做马步双肘横击

※ 在双肘横击中, 将右臂交叉放在左臂上方。
保持双臂平行。

"Ra" 方向

左脚迈步, 做马步, 左手侧冲拳

"Ra" 方向

右脚交叉左脚, 做前交叉步

"Ra" 方向

左脚迈步, 做马步,
泰山挣开格挡(山形挣开格挡)

① 在做前交叉步时, 向左扭转身体和右手前臂至 "Ra" 的方向 (在胸口的高度覆盖和抓取)

② 左脚迈步, 收右手同时做侧冲拳

※ 将左臂交叉放在右臂上方。

※ 连接 10-1 和 10-2 中的动作。

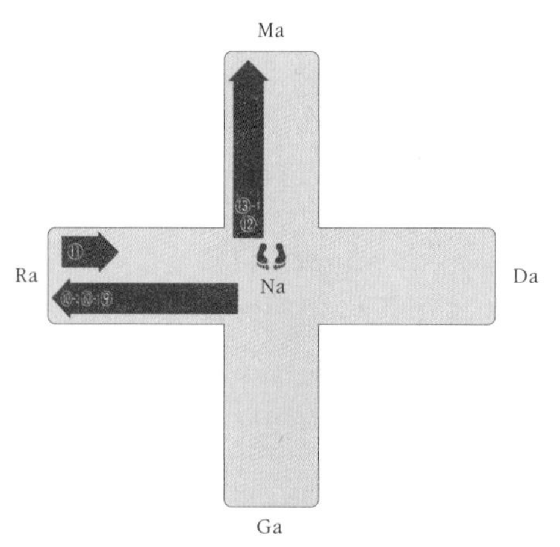

13-1

"Ma" 方向

左后弓步，缓慢张开右拳并内转，
右脚迈步

侧视图

11

"Da" 方向

左脚以右脚为支点顺时针转身，
做马步双肘横击

12

"Ma" 方向

右脚以左脚为支点顺时针转身，
做左后弓步，
右内手腕助手外格挡

侧视图

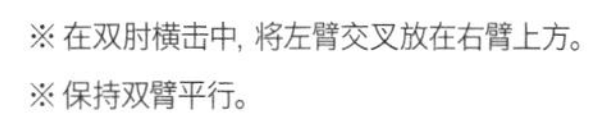
※ 在双肘横击中，将左臂交叉放在右臂上方。

※ 保持双臂平行。

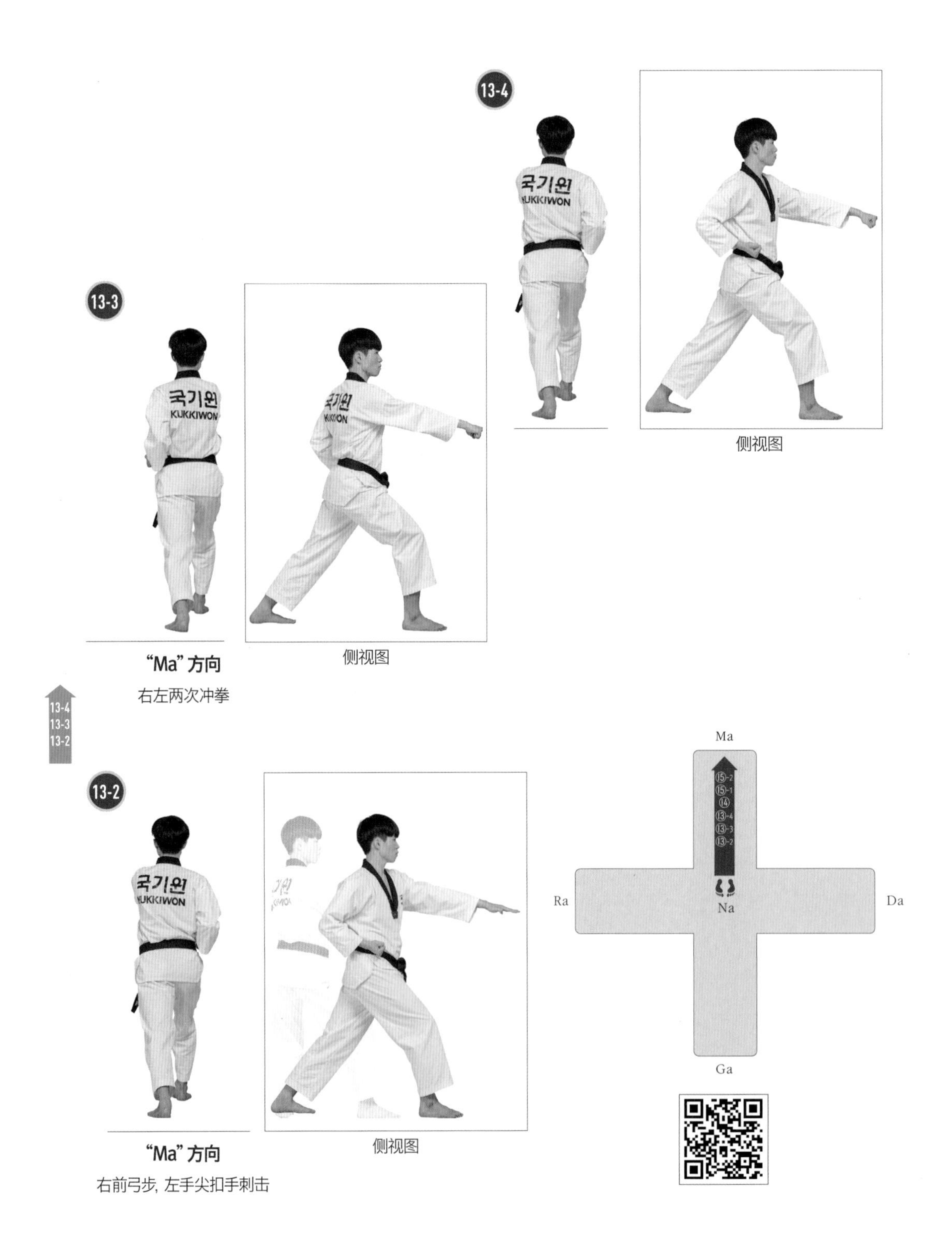

侧视图

侧视图

“Ma”方向

右左两次冲拳

侧视图

“Ma”方向

右前弓步，左手尖扣手刺击

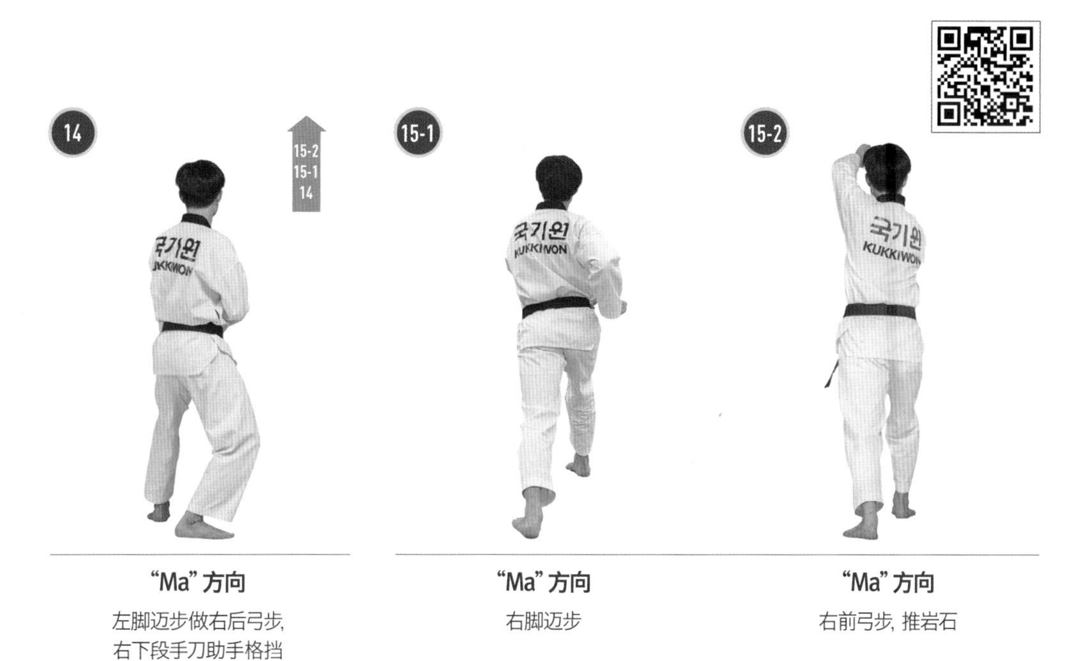

“Ma” 方向
左脚迈步做右后弓步，
右下段手刀助手格挡

“Ma” 方向
右脚迈步

“Ma” 方向
右前弓步，推岩石

※ 移动你的右脚并将双手放在腰线的右侧位置(双手张开，掌心朝前)，紧绷丹田，慢慢向内扭腰并推动。当动作完成时，左手应位于额头，右手以对称方式放置在下方。从对面应能在你的两手之间看到额头。
※ 向后弯曲双腕，使力量集中在掌根上。紧绷双肘并将它们向前置于固定的位置，以固定肩部和手臂。

14 15-1 15-2

侧视图

16

16 17 18

"Ra" 方向

以左脚为支点,
在 "Ma" 线上移动右脚, 做马步,
手刀背交叉分开格挡
(右臂交叉在左臂上, 眼睛方向 "Ra")

17

"Ra" 方向

在 "Ma" 线上原地马步,
做下段手刀交叉分开格挡
(左臂交叉在右臂上)

18

"Ra" 方向

在 "Ma" 线上做下段交叉分开格挡,
缓慢紧拳头, 伸直膝盖, 做远并排步

① 在做手刀下段挣开格挡时, 交叉双臂(左臂在右臂上)。这个动作从胸前的手刀背挣开格挡开始慢慢执行
② 在手刀下段挣开格挡中, 开始慢慢握紧双拳
③ 当拳头几乎完全握紧时, 伸直膝盖完成动作

※ 缓慢连接 17 和 18 中的动作。

16 17 18

前视图

"Ga" 方向

左脚向左迈步, 做左前弓步,
收左手(迅速)

※ 通过使用扭曲身体产生的下半身反作用力抬起左臂。

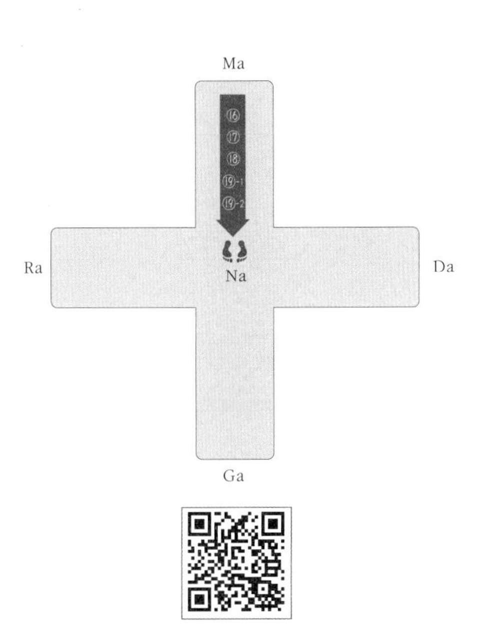

20-1
20-2
21-1

20-1

20-2

21-1

“Ga”方向

保持双脚原地不动

“Ga”方向

原地做左前弓步,
推岩石(缓慢地)

“Ga”方向

右脚前踢并迈步

※ 在双手拉向腰部左侧 (双手小轮击) 时, 做前踢。
※ 使用相同的力量和速度同时进行前踢和拉动双臂。
※ 旋转身体做长短拳。

Ma

Ra Na Da

20-1 20-2 21-1 21-2 22-1 22-2 23-1 23-2

Ga

21-2

“Ga” 方向

右前弓步, 长短拳

22-1

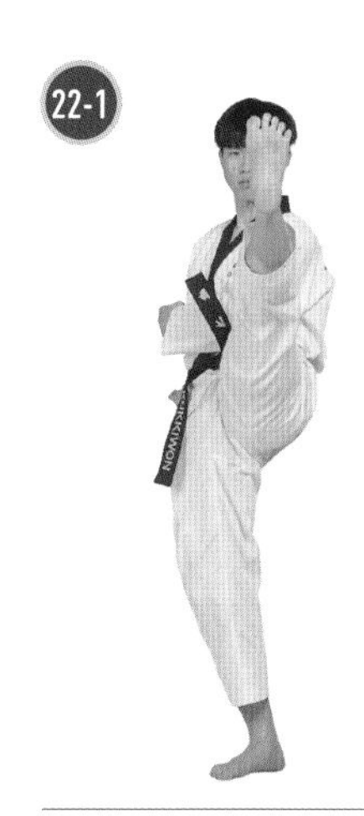

“Ga” 方向

左脚前踢并迈步

22-2

“Ga” 方向

左前弓步, 长短拳

21-2
22-1
22-2

23-1

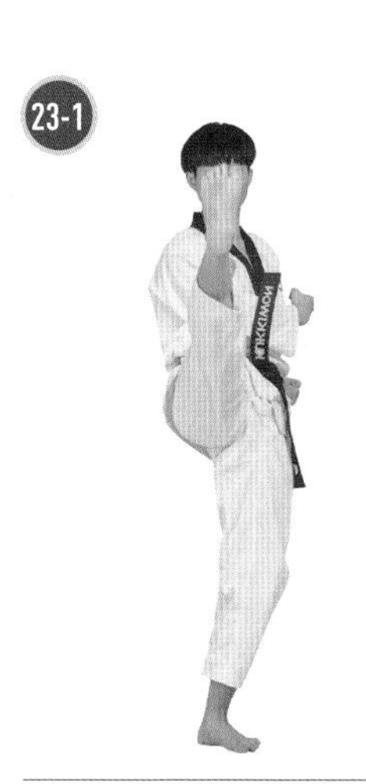

“Ga” 方向

右脚前踢并迈步踩脚

23-2 发声

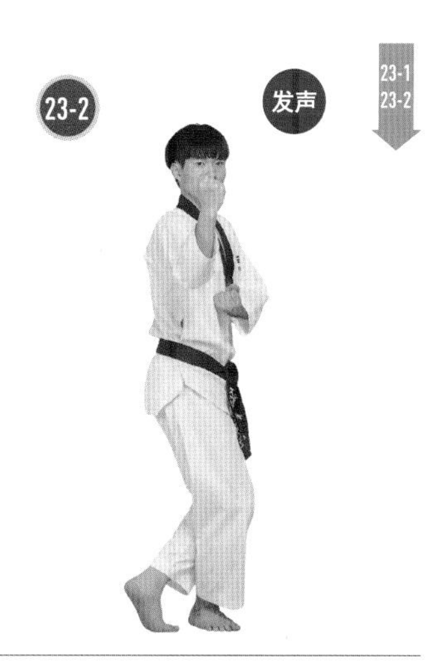

“Ga” 方向

左脚后交叉步,
右背拳助手上段背拳击打

23-1
23-2

※ 向前迈步一步半并踩脚。

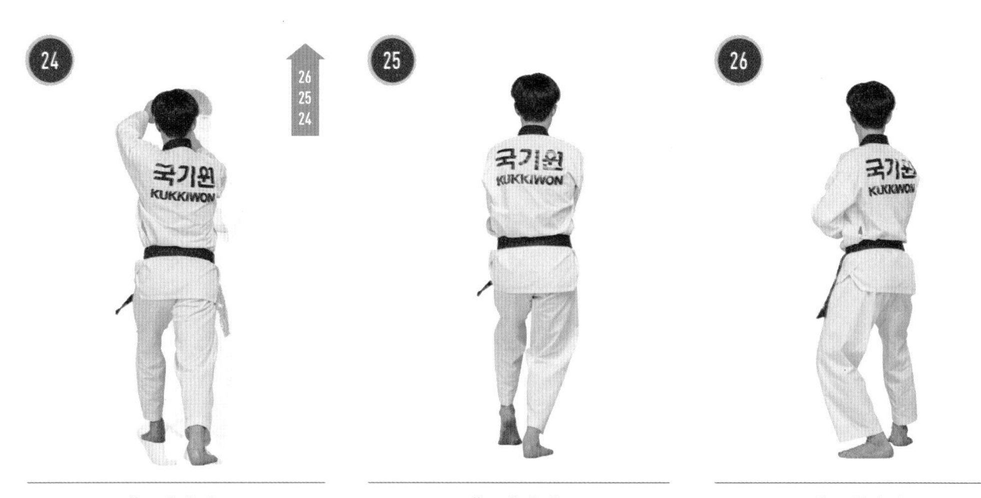

"Ma" 方向

以右脚为支点逆时针转身,
左脚迈步做左前弓步, 推岩石

※ 绷紧丹田以保持稳定的站姿, 并在旋转身体的同时慢慢地做推岩石。

"Ma" 方向

重心转移至右脚, 收左脚,
做左虎步, 下段手刀交叉格挡

※ 缓慢连接 24 和 25 中的动作。

"Ma" 方向

右脚迈步做左后弓步,
扣手手刀助手外格挡

侧视图

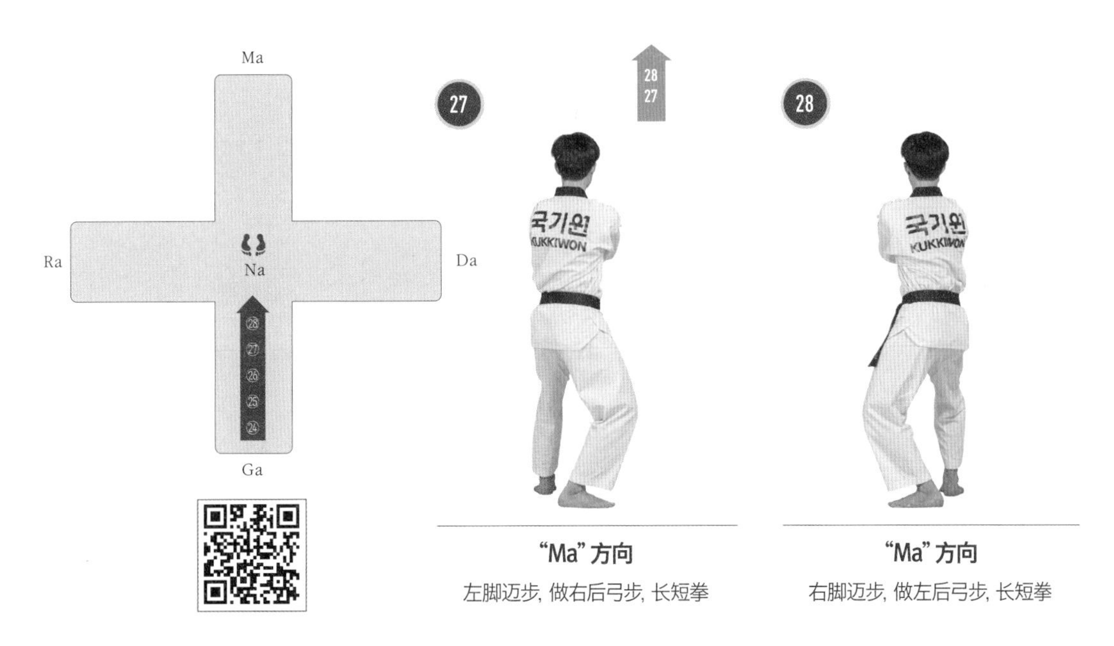

"Ma" 方向

左脚迈步, 做右后弓步, 长短拳

"Ma" 方向

右脚迈步, 做左后弓步, 长短拳

※ 在旋转身体躯干的同时做长短拳。

※ 在旋转身体躯干的同时做长短拳。

侧视图

收势

在 "Na" 的位置,
以左脚为支点逆时针转身, 面向
"Ga" 的方向,
基本准备(收势)

6

地跆

地跆品势的意义

地跆意味着一个人用双脚站在地上进行踢击、走动和跳跃，这代表了人类生活的挣扎。地跆品势将出现在生存斗争中的各种方面编织成各种动作。其品势演武线“ㅗ”类似于一个人站在地上并向天空升起，象征着在陆地上出生、成长和死亡的人。

地跆指的是易经的64卦中的地天泰。这是一个通过无尽的练习，身体和精神与跆拳道的原则完全合一的状态。它被称为“水升火降”，意思是由于阴阳相关的自然流动，身体充满了能量。在这里，所有的动作都围绕着丹田。

在品势演武线“ㅗ”中，底部的水平线代表地球，由一个点表示的短垂直线象征天空。心身合一确保了修炼者的身体无意识地对对手的攻击做出反应。这个阶段不再是关于人为地判断和执行攻防技术的方式，而是在自我消融的状态下练习动作。

练习目标

地跆品势的练习旨在达到以下状态：有机地使用力量和身体来协调不同的动作——慢和快、强和弱——以及连接地面到指尖的丹田能量，同时进行适当的呼吸。

在执行上段掌锤拳内击时，身体的躯干和肘部在同一方向旋转。你将更系统地训练使用手臂将旋转力转换为线性力。通过练习下手刀助手格挡和手刀助手外格挡，你会理解在某些情况下，防御和攻击可能并存的道理。

(1) 地跆品势线

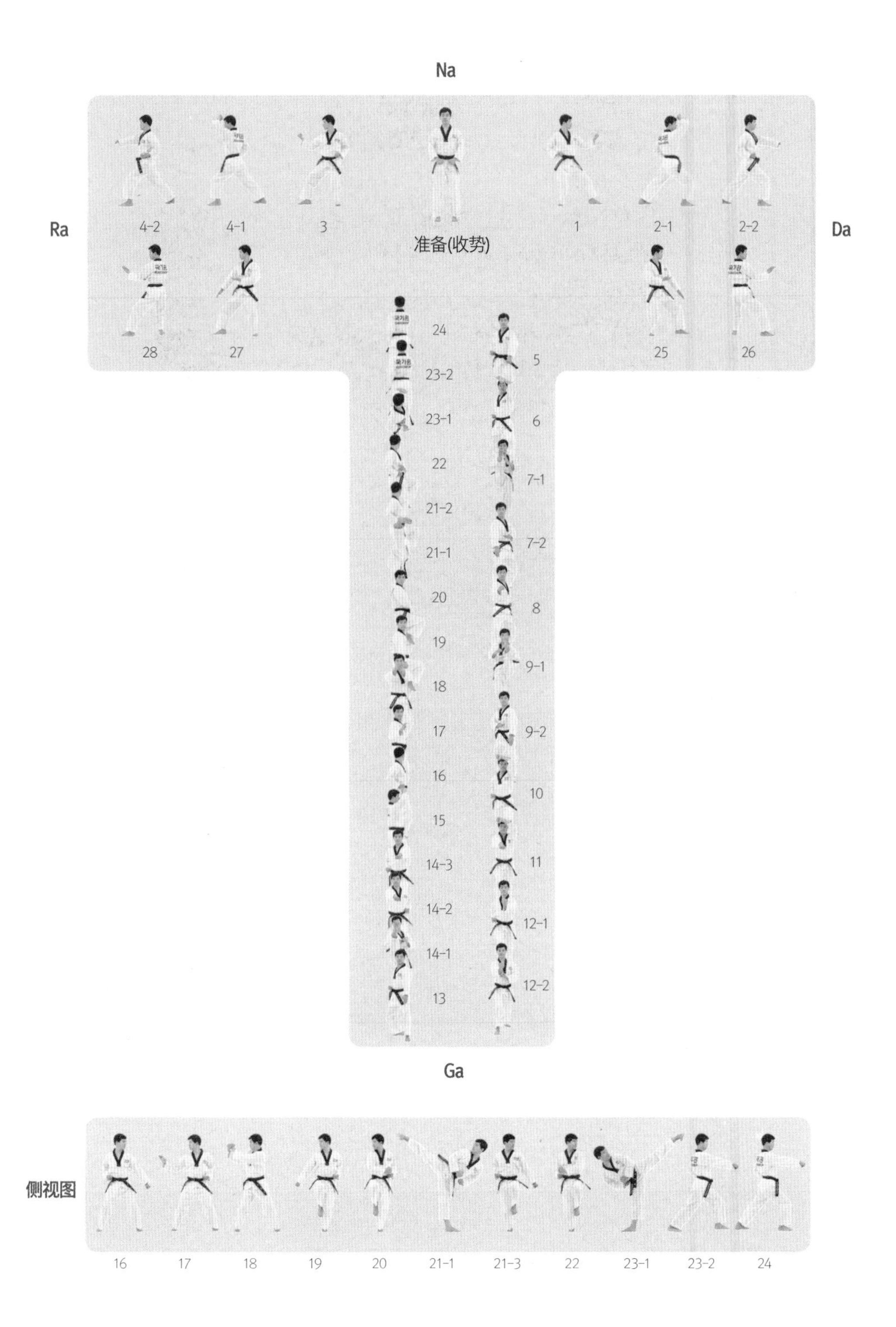
Na
Ra
Da
Ga
准备(收势)
4-2
4-1
3
1
2-1
2-2
28
27
25
26
24
23-2
23-1
22
21-2
21-1
20
19
18
17
16
15
14-3
14-2
14-1
13
5
6
7-1
7-2
8
9-1
9-2
10
11
12-1
12-2
侧视图
16
17
18
19
20
21-1
21-3
22
23-1
23-2
24

(2) 品势说明

顺序	视线	位置	站姿	动作	品名
准备	Ga	Na	并排步	左脚张开, 双拳自丹田提起, 至胸口后再放下	基本准备
1	Da	Da	右后弓步	左脚迈步	左内手腕外格挡
2	Da	Da	右前弓步	右脚迈步, 做上段格挡	左冲拳
3	Ra	Ra	左后弓步	转动右脚	右内手腕外格挡
4	Ra	Ra	左前弓步	左脚迈步, 做上段格挡	右冲拳
5	Ga	Ga	左前弓步	转动左脚	左下段格挡
6	Ga	Ga	右后弓步	收左脚	左手刀上段格挡
7	Ga	Ga	左后弓步	右脚前踢并迈步	右下手刀助手格挡
8	Ga	Ga	左后弓步	原地站姿	右外格挡
9	Ga	Ga	右后弓步	左脚前踢并迈步	左下手刀助手格挡
10	Ga	Ga	左前弓步	左脚迈步	左上段格挡
11	Ga	Ga	右前弓步	右脚迈步	金刚冲拳
12	Ga	Ga	右前弓步	原地站姿, 左中格挡	右中格挡
13	Ga	Na	右后弓步	右脚后退一步	左手刀下段格挡
14	Ga	Na	左前弓步	右脚前踢并后退一步	两次冲拳
15	Da	Na	马步	左脚后退一步	牛角格挡

顺序	视线	位置	站姿	动作	品名
16	Na	Na	马步	原地站姿	左侧下段格挡
17	Ga	Na	马步	原地站姿	右手刀侧格挡
18	Ga	Na	马步	原地站姿	上段掌锤掌心内击打 发声
19	Ga	Na	左鹤立步	左脚不动, 收右脚	右侧下段格挡
20	Ga	Na	左鹤立步	原地站姿, 收右拳至腰部	左双手小铰链击
21	Na	Na	右鹤立步	右侧踢, 左右脚交替站立	左侧下段格挡
22	Na	Na	右鹤立步	原地站姿, 收左拳至腰部	右双手小铰链击
23	Na	Na	左前弓步	左脚侧踢并迈步	右冲拳
24	Na	Na	右前弓步	右脚迈步	右冲拳 发声
25	Da	Da	右后弓步	转动左脚	左下段手刀助手格挡
26	Da	Da	左后弓步	右脚迈步	左手刀助手外格挡
27	Ra	Ra	左后弓步	转动右脚	右下段手刀助手格挡
28	Ra	Ra	右后弓步	左脚迈步	左手刀助手外格挡
收势	Ga	Na	并排步	左脚以右脚为支点转身	基本准备(收势)

(3) 本文

准备

在 “Na” 的位置上,
面向 “Ga” 的方向做
基本准备

“Da” 方向

左脚迈步, 做右后弓步,
左内手腕外格挡

“Ra” 方向

右手冲拳(缓慢地)

“Ra” 方向

左脚迈步, 做左前弓步,
左手上段格挡(缓慢地)

"Da" 方向

右脚迈步, 做右前弓步,
右手上段格挡(缓慢地)

"Da" 方向

左手冲拳(缓慢地)

※ 右脚迈步, 右前弓步, 右外手腕上段格挡以及左手冲拳应在旋转身体的同时慢慢地协调进行。

"Ra" 方向

右脚以左脚为支点顺时针转身,
做左后弓步, 右内手腕外格挡

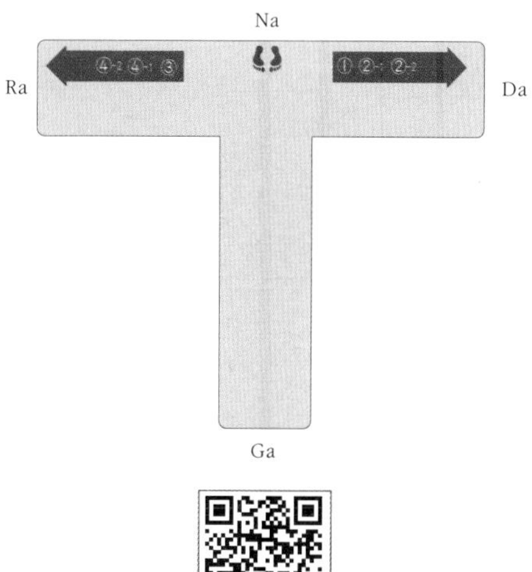

“Ga” 方向

以右脚为支点逆时针转身,
左脚迈步做左前弓步, 左手下段格挡

“Ga” 方向

重心转移至右脚, 收左脚,
做右后弓步, 左手刀上段格挡

※ 缓慢连接 5 和 6 中的动作。

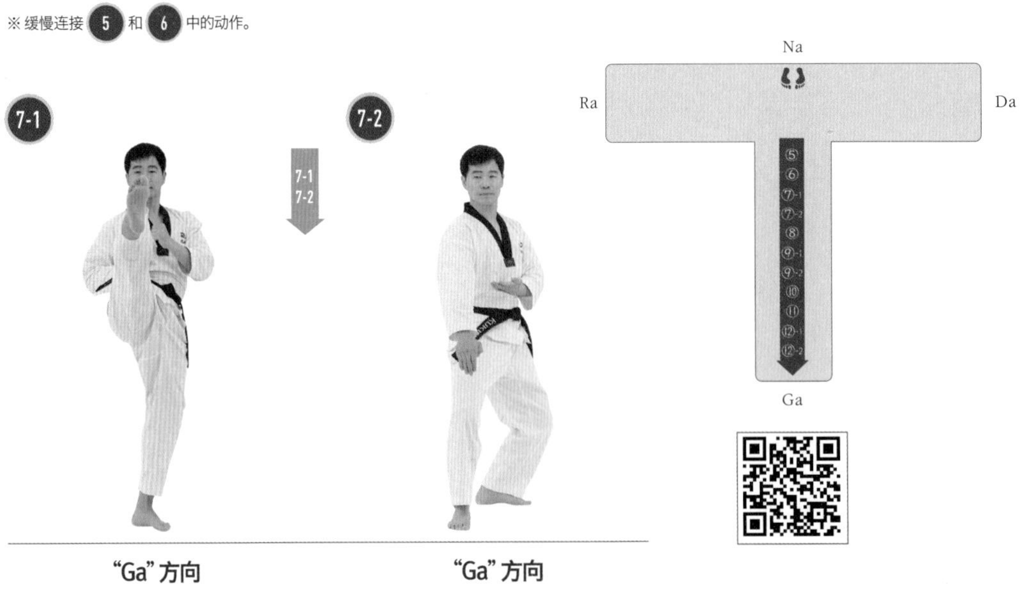

“Ga” 方向

右脚前踢并迈步

“Ga” 方向

做左后弓步, 右手刀助手下格挡

“Ga” 方向

原地站姿，做左后弓步，右外格挡(缓慢地)

“Ga” 方向

左脚前踢并迈步

“Ga” 方向

右后弓步，左手刀助手下格挡

“Ga” 方向

右脚不动，左脚迈步，做左前弓步，左手上段格挡(缓慢地)

※ 同步呼吸、身体旋转和上段格挡。这些动作都要慢慢进行。

※ 绷紧丹田，使下半身牢固。

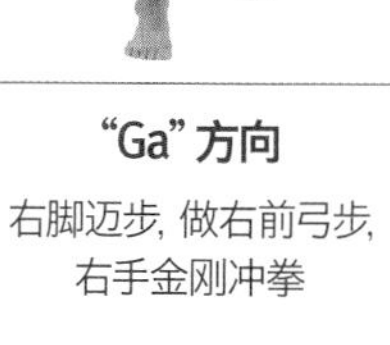

“Ga” 方向

右脚迈步，做右前弓步，右手金刚冲拳

“Ga” 方向

原地站姿，做右前弓步，左中格挡

“Ga” 方向

接连快速地做右中格挡

※ 在金刚冲拳中，相比于动作10，应下降手臂高度(与胸口同高)，然后再做上段格挡。

※ 金刚冲拳、左内手腕中格挡、使右拳通过腰的一侧以及中格挡。迅速连接这两个动作。

"Ga" 方向

左脚保持在原位, 右脚向
"Na" 方向后退一步,
做右后弓步, 左手刀下格挡

"Ga" 方向

右前踢

"Ga" 方向

后退一步到 "Na" 线, 做左前弓步, 右左两次冲拳

侧视图

"Ga" 方向

双脚保持原位, 做马步,
右手刀侧格挡

侧视图

"Ga" 方向

原地站姿,
上段掌锤掌心内击打

※ 将右手抬高至人中位置以定位目标, 然后用左锤拳击打。

前视图

“Da” 方向

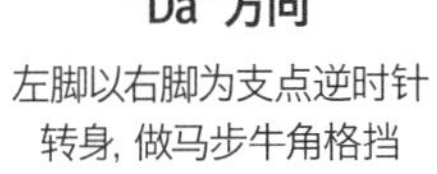

左脚以右脚为支点逆时针
转身，做马步牛角格挡

侧视图

“Na” 方向

马步姿势不变，
左手下段格挡

侧视图

“Ga” 方向

左脚保持不动，收右脚，
做左鹤立步，
右外手腕侧下格挡

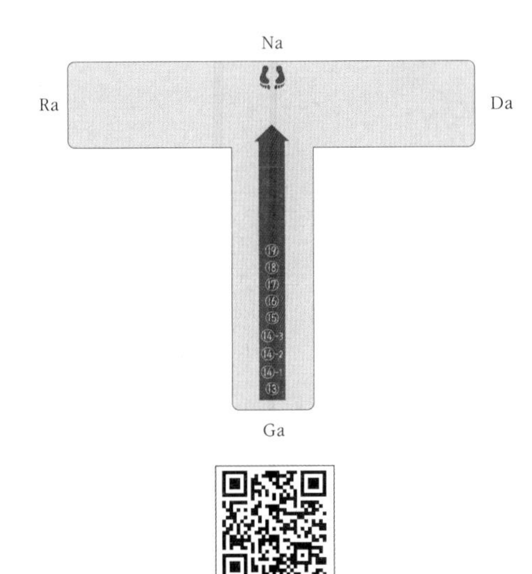

"Ga" 方向

保持左鹤立步姿势不变，
将右拳拉至腰部，向左双手小铰链击

"Ga" 方向

右脚侧踢并收腿

"Na" 方向

左右脚换位，做右鹤立步，
左外手腕侧下格挡

※ 收腿，做右侧踢，右脚踩脚，同时收左脚。视线方向从 "Ga" 移向 "Na"

※ 连接 21-1 和 21-2 中的动作。

侧视图

“Na” 方向

左脚侧踢并迈步

侧视图

“Na” 方向

左前弓步, 右手冲拳

侧视图

“Na” 方向

原地站姿, 收左拳至腰部,
做右鹤立步, 向右双手小铰链击

侧视图

"Na" 方向

右脚迈步做右前弓步, 右手冲拳

侧视图

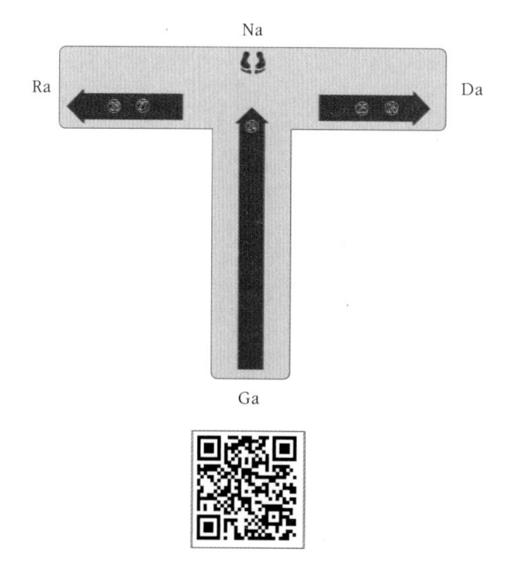

收势

在 "Na" 的位置,
以右脚为支点逆时针转身, 左脚落地,
面向 "Ga" 的方向做
基本准备(收势)

"Da" 方向

以右脚为支点逆时针转身,
左脚迈步做右后弓步,
左下段手刀助手格挡

"Da" 方向

右脚迈步做左后弓步,
右手刀助手外格挡

"Ra" 方向

左脚迈步, 做右后弓步,
左手刀助手外格挡

"Ra" 方向

右脚以左脚为支点顺时针转身,
做左后弓步, 右下段手刀助手格挡

7

天拳

天拳品势的意义

天拳象征着孕育万物的能量，以及不变的法则，尽管自然和宇宙的变化是无形的。换句话说，正如自然的法则不是随意运作的，人们也必须遵循正确思想和行动的规则。

在天拳品势的“ㅜ”型演武线中，顶部的水平线代表了浩渺的天空，而垂直线代表了影响地面和其上的人们的光的力量，如太阳、月亮和星星。此外，世界上的所有事物，包括人类，只有离心力和向心力共存才能存在。如果人与人之间的拉力和推力的平衡被打破，我们生活的世界将不复存在。

天拳品势训练身体通过稳定的练习遵循正确的思维方式，并达到“知行一致”的状态——知识和行动的统一。

练习目标

在天拳品势中，中轴线的运动和力量流动必须无间断地连接。协调敏捷性和重力，以及与呼吸流动相协调的缓慢运动非常重要。

展翅是一种积聚力量的动作。它也是一种通过将力量分散到两个方向来打破对手平衡的技术。此外，它是通过迅速应对中心破绽的反击技术。在并步和展翅中，你需要将整个身体与中线对齐，以形成良好的姿势。在这个阶段，你将了解到在斜格挡后的缠绕和拉扯动作中，移动重心和肘部的重要性，从而学习如何使用有效的力量。此外，你将学习如何在光滑的曲线运动中，运用身体和力量。这种运动可连接内手腕助手外格挡和冲拳，在张开手掌阻挡攻击的同时，抓住对手的手腕。

此外，你还将学习如何连接困难的动作，包括使用来自地面的力量跳跃并在空中旋转360度进行掌对摆踢。推泰山教你如何通过将意念集中在上下腹部并紧张全身，将呼吸、意识和动作统一起来。

(1) 天拳品势线

Na

准备(收势)

26
25
24
23
22-3
22-2
22-1
21
20-2
20-1
19
18-2
18-1
17
16

1
2
3
4
5
6
7
8-1
8-2
8-3
9

Ra

12-2 12-1 11-3 11-2 11-1 10

13 14-1 14-2 14-3 15-1 15-2

Da

Ga

侧视图

16 17 18-1 18-2 19 20-1 20-2 21 22-2 22-3

(2) 品势说明

顺序	视线	位置	站姿	动作	品名
准备	Ga	Na	并步	左手应以十字形覆盖在右手的背面	叠手准备
1	Ga	Na	并步	就地将双手举至胸前并向两侧推开	展翅
2	Ga	Na	右虎步	摆动双臂, 左脚向后迈步	双手中凸上冲拳
3	Ga	Na	右前弓步	右脚迈步	左手刀斜外格挡
4	Ga	Ga	左前弓步	左手缠抓, 收回左手, 左脚向前移动	右冲拳
5	Ga	Ga	左前弓步	原地站姿	右手刀斜外格挡
6	Ga	Ga	右前弓步	右手缠抓, 收回右手, 右脚向前移动	左冲拳
7	Ga	Ga	右前弓步	原地站姿	左手刀斜外格挡
8	Ga	Ga	左前弓步	抓取的左手旋转并收回, 左脚侧踢并迈步 发声	左下段格挡
9	Ga	Ga	右前弓步	右脚迈步	右冲拳
10	Ra	Ra	右后弓步	转动左脚	左内手腕助手外格挡
11	Ra	Ra	右后弓步	原地站姿, 左手腕翻转	左冲拳
12	Ra	Ra	左后弓步	张开左手, 以左手臂向外侧推, 收回左手	右冲拳
13	Da	Da	左后弓步	转动右脚	右内手腕助手外格挡

顺序	视线	位置	站姿	动作	品名
14	Da	Da	左后弓步	原地站姿, 右手腕翻转	右冲拳
15	Da	Da	右后弓步	张开右手, 以右手臂向外侧推, 收回右手	左冲拳
16	Na	Na	左前弓步	转动左脚	右内手腕斜外格挡
17	Na	Na	左前弓步	原地站姿	左冲拳
18	Na	Na	右前弓步	右脚前踢并迈步	右冲拳
19	Na	Na	左后弓步	收右脚	右下手刀助手格挡
20	Na	Na	左后弓步	右内手腕外格挡和半前滑步	右下助手格挡
21	Na	Na	马步	双脚同时迈步	金刚侧冲拳
22	Na	Na	马步	跳跃并旋转360度, 做上段掌对内摆踢	金刚侧冲拳
23	Ga	Na	右后弓步	原地转身	平手半山格挡
24	Na	Na	左后弓步	原地转身	平手半山格挡
25	Ga	Na	右虎步	左脚转向, 双脚并拢, 双臂划圈, 右脚向前移动	推泰山
26	Ga	Na	左虎步	收回右脚, 双脚并拢, 双臂划圈, 左脚向前移动	推泰山
收势	Ga	Na	并步	收左脚	叠手收势

(3) 本文

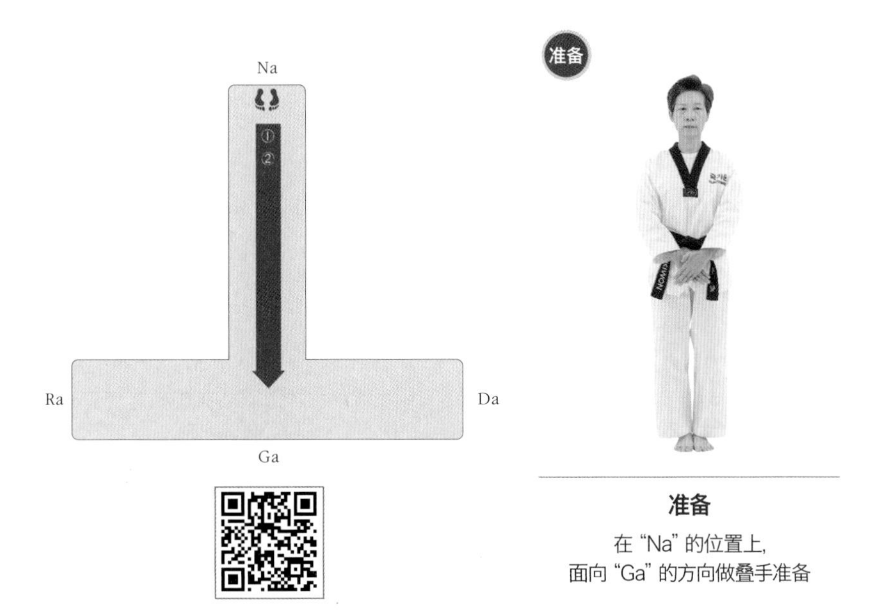

准备

在 "Na" 的位置上,
面向 "Ga" 的方向做叠手准备

※ 参考 (将所有动作快速连续地连接起来)。

① 从 "Na" 位置, 双臂从展翅动作开始划圈, 下降至丹田前方合拢; 然后将双臂抬高至头顶以上, 并向两侧展开。

“Na”位置

原地站姿

“Na”位置

并步展翅(缓慢地)

※ 需要用力并缓慢地展翅动作。
※ 将叠在一起的手抬高至胸部。吸气时双手抬起（肘部向下）。
※ 当双手在胸部前方时，向后转腕，伸直臂肘向左右推。用腹部力量呼气。

② 以圆形动作将手臂向髋骨两侧放下；左脚同时后退一步，将双手背拳提起并在丹田前方聚拢

“Na”位置

面向“Ga”的方向，后退一步，
右虎步，双手中凸上冲拳(快速)

③ 右虎步，双手中凸上冲拳
※ 在做展翅时，对手会抓住前方的空隙进行双臂攻击和额头击打。在做中凸上冲拳击打对手的下巴或伸过来的面部时，再次做挣开格挡和后滑步。这些动作应非常迅速。

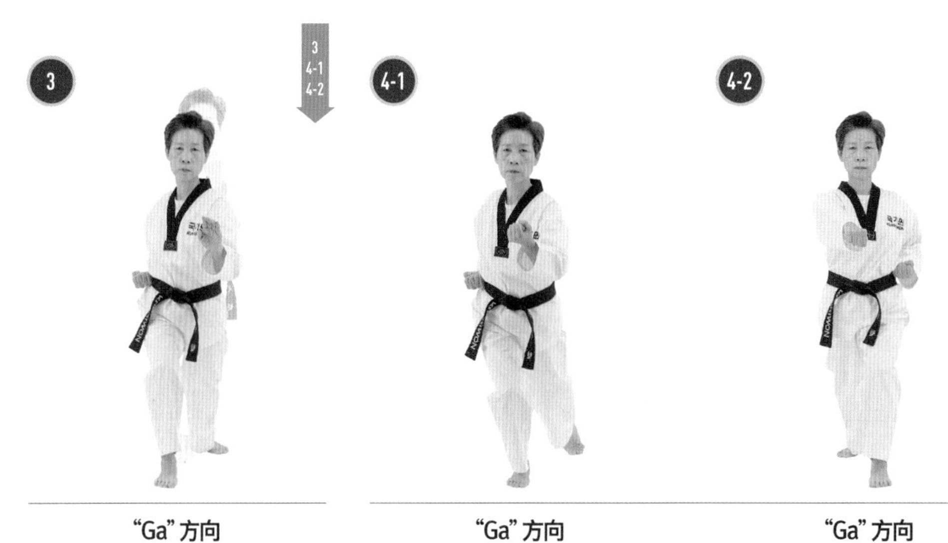

“Ga”方向

右脚迈步, 做右前弓步,
左手刀斜外格挡

“Ga”方向

左脚迈步, 左手缠抓, 收回左手

※注

①用手刀格挡冲拳攻击。

②重心前移, 做向外的缠抓, 紧紧抓住对手的手腕。

③将抓住的手拉向腰部并做右冲拳。

④这个动作要慢而有力。

“Ga”方向

左前弓步, 右手冲拳(缓慢)

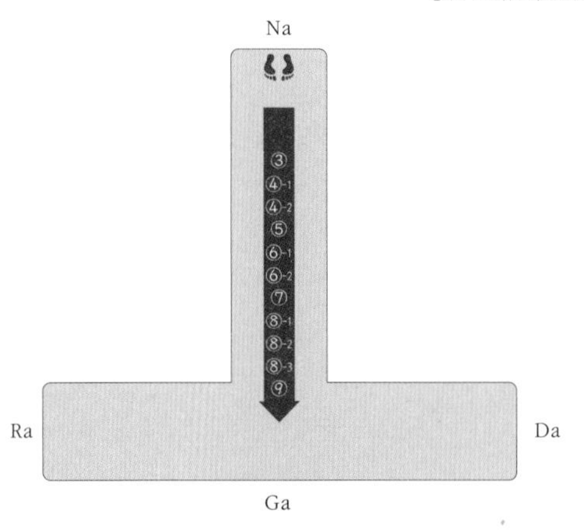

“Ga”方向

原地站姿, 做右前弓步,
左手刀斜外格挡

"Ga" 方向
原地站姿, 左前弓步, 右手刀斜外格挡

"Ga" 方向
右脚迈步, 右手缠抓, 收回右手

"Ga" 方向
右前弓步, 左手冲拳(缓慢)

※ 稍微向前移动重心, 右脚迈步。

"Ga" 方向
用左手抓住对手的手腕扭转并拉扯

"Ga" 方向
左侧踢

"Ga" 方向
做左前弓步,
左手下段格挡

"Ga" 方向
右脚迈步做右前弓步,
右手冲拳

“Ra” 方向

右脚迈步做左后弓步, 右手冲拳

“Ra” 方向

重心向左脚转移, 张开左手,
以左手臂向外侧推, 收回左手

※ 注

① 在做左手冲拳时, 对手以冲拳反击; 弯曲左肘, 将重心向前移, 拉对手的手腕格挡攻击

② 在头顶上方画一个圈并拉对手的手腕以连接到冲拳攻击

13, 14-1, 14-2

13

“Da” 方向

右脚以左脚为支点顺时针转身,
做左后弓步, 右内手腕助手外格挡

“Da” 方向

原地站姿, 将右臂肘向外侧推
(右臂偏转)

“Da” 方向

左后弓步(原地站姿)

※ 将右拳过腰线并做冲拳。

※ 连接 11 和 12 中的动作。

"Ra" 方向
左手冲拳

"Ra" 方向
右后弓步(原地站姿)

"Ra" 方向
原地站姿, 左臂偏转

"Ra" 方向
以右脚为支点逆时针转身,
左脚迈步做右后弓步,
左内手腕助手外格挡

※ 注
①如果在格挡对方攻击后, 对方再次攻击
②将你的左手腕内转, 以一个圆形的动作绕过你的头顶
③将它拉向腰部并进行冲拳
※ 将所有动作快速连续地连接起来。

"Da" 方向
右手冲拳

"Da" 方向
重心向右脚转移, 张开右手,
以右手臂向外侧推, 收回右手

"Da" 方向
左脚迈步做右后弓步, 左手冲拳

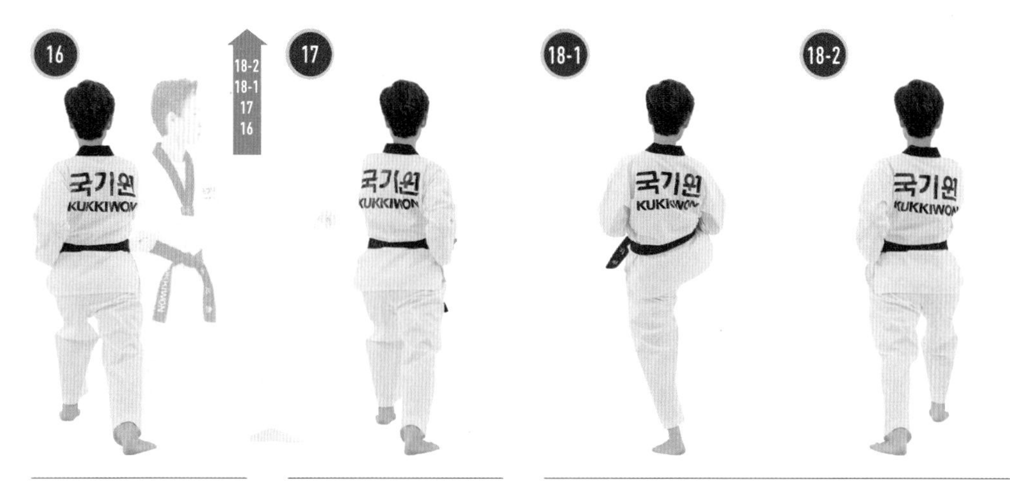

"Na" 方向

左脚以右脚为支点转身,
做左前弓步,
右内手腕斜外格挡

"Na" 方向

原地站姿, 左前弓步,
左手冲拳

"Na" 方向

右脚前踢并迈步

"Na" 方向

右前弓步, 右手冲拳

侧视图

“Na”方向
重心转移至左脚, 收右脚,
做左后弓步,
右手刀助手下段格挡

“Na”方向
双脚半前滑步向前,
做左后弓步, 右内手腕外格挡

“Na”方向
半前滑步,
右外手腕助手下格挡

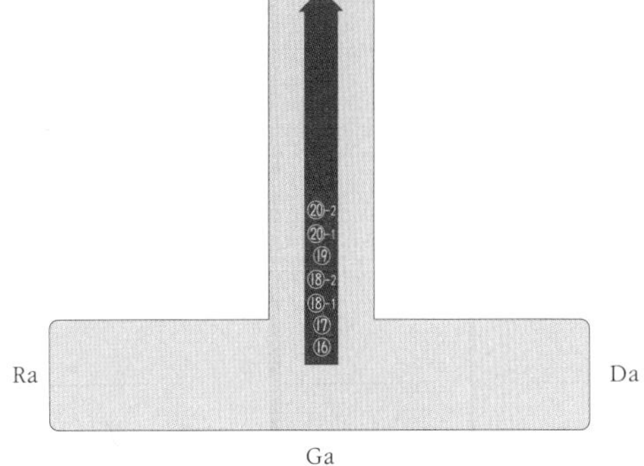

半前滑步

① 在左后弓步中, 将重心放在左脚上。当你用右脚向前迈出半步的时候, 拉起左脚。当右脚再次向前推时, 拉起左脚并移动 (频繁地小步移动)
② 当你迈出第一步的时候, 用右手做内手腕外格挡; 随后, 用左手掌 (四个手指并拢) 击中上抬的前臂
③ 当你迈出第一步的时候, 再次降低右手腕并执行下格挡; 随后, 用左掌击中右前臂并握成拳头
④ 快速连续连接上述所有动作

侧视图

23
22-3
22-2
22-1
21

21

"Na" 方向

右脚迈步, 做马步金刚侧冲拳

22-1

"Na" 方向

以右脚为支点跳起并在空中逆时针旋转(360度)

21

侧视图

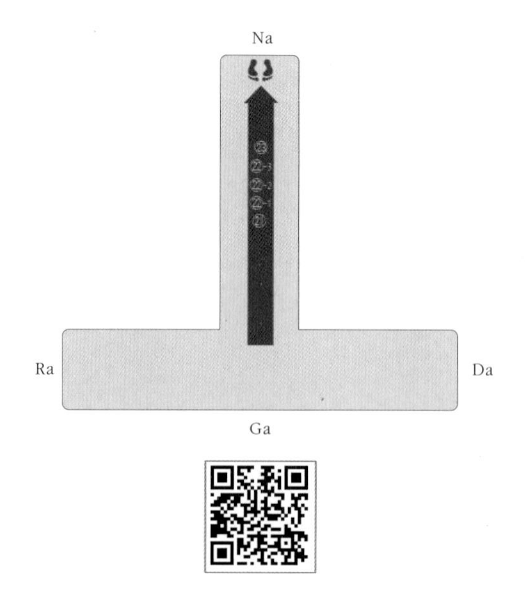

“Na” 方向

右脚上段掌对内摆踢并迈步

※注

① 在掌对踢中, 用脚刀背踢向目标(手掌)

② 在腾空掌对踢中, 提前将质量中心转移到右脚并在空中跳起

③ 然后, 在空中逆时针旋转(360度)

④ 在左脚着地之前, 在空中用脚刀背踢向目标(左掌) 侧视图

“Na” 方向

马步金刚侧冲拳

“Ga” 方向

逆时针旋转,
以右脚为支点向原始位置后退一步,
右后弓步, 单手做平手半山格挡
(外山势格挡)(缓慢)

※注

① 向 “Ga” 方向转, 从马步起做右后弓步
（“Na” 方向)

② 在金刚侧冲拳之后, 将双手交叉在胸前

③ 同时做右手刀上段外格挡和左手刀下段格挡

④ 缓慢地完成上述动作

侧视图

"Ga" 方向

以右脚为支点逆时针转身，
左脚迈步，双脚并拢，并用双臂画圈

※注
①"Na" 方向，逆时针转身，收左脚，站直做并步
②将双手合并在 "丹田" 前方，重叠，然后将它们举高到胸部、面部和头顶上方。然后，将它们向侧面画圈降下，通过侧面将它们拉到胸口前方，最后，翻转手腕
③将双手靠近，右手在下，左手在上
④在虎步中慢慢地拉伸双臂（轻轻地伸直臂肘）
⑤将左手掌放在 "人中" 高度，右手掌放在 "丹田" 高度

"Na" 方向

顺时针转身，
以左脚为支点向原始位置后退一步，
左后弓步，单手做半山格挡
平手半山格挡。（缓慢）

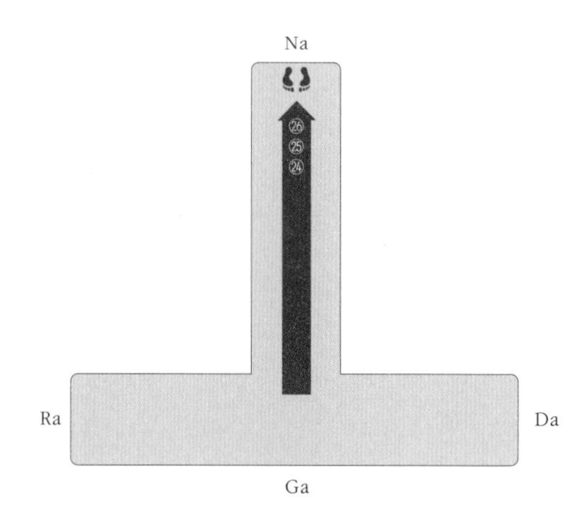

“Ga” 方向

右脚迈步, 做右虎步, 推泰山

收势

面向 “Ga” 方向, 拉左脚,
做并步叠手收势

“Ga” 方向

收右脚使双脚并拢,
并用双臂画圈

“Ga” 方向

左脚迈步, 做左虎步,
推泰山

8

汉水

汉水品势的意义

“汉水”指的是养育所有生物的伟大水源。它象征着生命的诞生和成长，坚韧和温柔，容忍，兼容，和适应性。“汉”有各种含义，包括一，多，大，中心，相同，充满，一起，集合，瞬间，和长。它也象征着天空和一切的根源。因此，水的-去掉一个不能被打破或切割的元素被应用到汉水品势中。动作的练习应该像水一样灵活，像构成大海的一滴水一样恒定。其品势线“水”象征水，韩家人（国家的血脉）和成长。汉水品势的练习教导修炼者理解：每个动作都是积累能量的技术，而不是消耗能量。

练习目标

汉水品势训练修炼者使用身体并无缝连接动作。像水流一样, 坚韧和温柔, 速度控制 (节奏和速度), 纪律成为一体, 完成整个品势的练习。尽管它由简单的动作组成, 但完美的状态应该在连接的动作的流动中显现。力量应该来自于肌肉和身体的运动 (不仅仅是肌肉, 还有身体的运动)。目标是达到一种自我消融的状态, 其中动作自然地流动, 无需意识干预。

(1) 汉水品势线

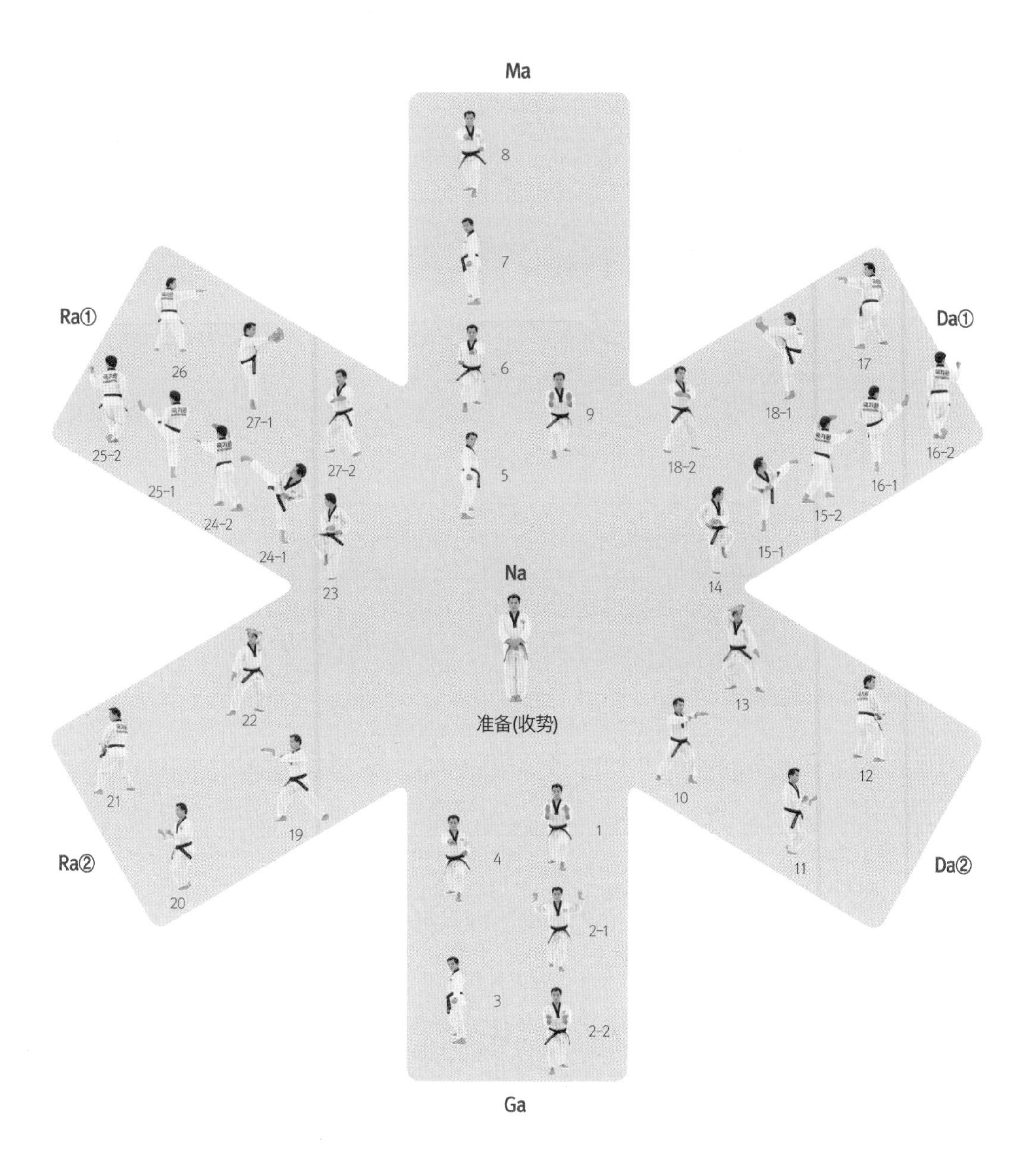
Ma
8
7
6
5
9
Ra①
26
27-1
27-2
25-2
25-1
24-2
24-1
23
Da①
17
18-1
18-2
16-2
16-1
15-2
15-1
14
Na
准备(收势)
22
21
19
20
Ra②
13
12
10
11
Da②
1
4
2-1
3
2-2
Ga

(2) 品势说明

顺序	视线	位置	站姿	动作	品名
准备	Ga	Na	并步	左手应以十字形覆盖在右手的背面	叠手准备
1	Ga	Ga	左前弓步	左脚迈步	手刀背交叉分开格挡
2	Ga	Ga	右前弓步	右脚迈步	双手锤拳内击打
3	Ga	Na	右前弓步	右脚后退一步	半山形格挡
4	Ga	Ga	左前弓步	原地转身(180度)	右冲拳
5	Ga	Ma	左前弓步	左脚后退一步	半山形格挡
6	Ga	Na	右前弓步	原地转身(180度)	左冲拳
7	Ga	Ma	右前弓步	右脚后退一步	半山形格挡
8	Ga	Na	左前弓步	原地转身(180度)	右冲拳
9	Ga	Na	右前弓步	右脚迈步	手刀背交叉分开格挡
10	Da②	Da②	左前弓步	左脚迈步	颈部虎口助手击打
11	Da②	Da②	右后虎步	右脚前跳	双拳仰冲拳
12	Da②	Na	马步	左脚后退一步	右下段手掌助手内手腕格挡
13	Da②	Na	右后弓步	右脚后退一步	手刀金刚格挡
14	Da①	Na	右鹤立步	以右脚为支点逆时针转身,收左脚	右双手小铰链击

顺序	视线	位置	站姿	动作	品名
15	Da①	Da①	左前弓步	左脚侧踢并迈步	颈部燕手刀内击打
16	Da①	Da①	左后交叉步	右脚前踢并前跳, 做右踩脚	上段背拳前击打 发声
17	Na	Na	马步	左脚后退一步	左手刀侧击
18	Da②	Na	马步	右脚上段掌对内摆踢并迈步	右臂肘掌心前击打
19	Ra②	Ra②	右前弓步	收左脚, 双脚并步站立, 然后立即迈右脚	颈部虎口助手击打
20	Ra②	Ra②	左后虎步	左脚前踢并前跳	双拳仰冲拳
21	Na	Na	马步	右脚后退一步	左下段手掌助手内手腕格挡
22	Ra②	Na	左后弓步	左脚后退一步	手刀金刚格挡
23	Ra①	Na	左鹤立步	以左脚为支点顺时针转身 (90度), 收右脚	左双手小铰链击
24	Ra①	Ra①	右前弓步	右脚侧踢并迈步	颈部燕手刀内击打
25	Ra①	Ra①	右后交叉步	左脚前踢并前跳, 做左踩脚	上段背拳前击打 发声
26	Na	Na	马步	右脚后退一步	右手刀侧击
27	Ra②	Na	马步	左脚上段掌对内摆踢并迈步	左臂肘掌心前击打
收势	Ga	Na	并步	收右脚	叠手准备

(3) 本文

准备

在 “Na” 的位置上,
面向 “Ga” 的方向做
并步叠手准备

“Ga” 方向

左脚迈步做左前弓步,
手刀背交叉分开格挡

“Ga” 方向

右脚迈步

“Ga” 方向

右前弓步, 双手锤拳内击打

①从挣开格挡和内击打开始稍微展开双臂, 同时双手保持锤拳
②保持腋窝和臂肘靠近身体的躯干
③同时以两侧的对手为目标

3

3

“Ga” 方向

右脚后退至 “Na” 位置, 做右前弓步,
半山形格挡

①视线方向 “Ga”, 向 “Na” 方向做前弓步
②右臂放在 “Na” 的方向, 做内手腕上段外格挡,
在 “Ga” 方向做左外手腕下格挡

"Ga" 方向

从右前弓步原地转身(180度),
做左前弓步, 右手冲拳

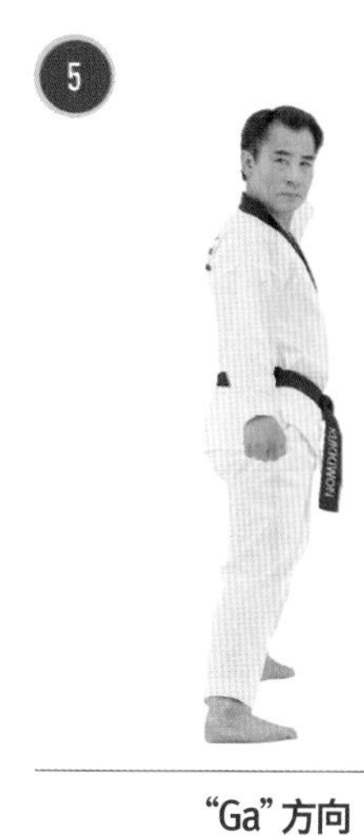

"Ga" 方向

左脚后退至 "Na" 线, 做左前弓步,
半山形格挡

① 从右前弓步地转到左前弓步, 保持相同的姿势高度, 平稳地将重心从后移到前

② 在动作 3 和 4 中, 力量的流动应该是无缝的, 以表达放大的力量

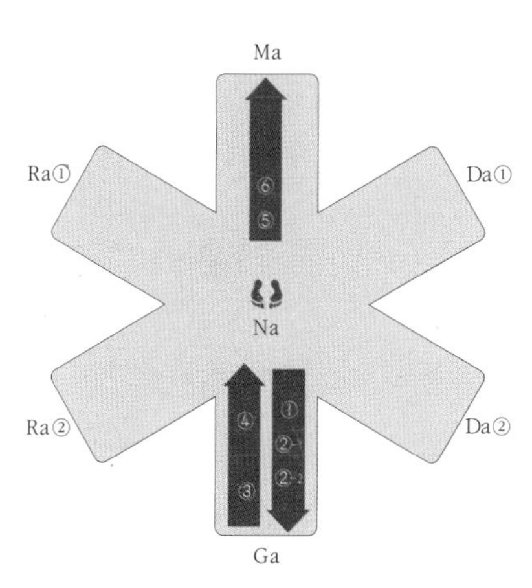

"Ga" 方向

从左前弓步原地转身(180度),
做右前弓步, 左手冲拳

"Ga" 方向

右脚后退至 "Na" 线, 做右前弓步,
半山形格挡

"Ga" 方向

从右前弓步原地转身(180度),
做左前弓步, 右手冲拳

"Ga" 方向

右脚迈步做右前弓步("Na" 位置),
手刀背交叉分开格挡

※ 在动作 1 ~ 9 中, 保持相同的高度, 像波浪一样连续力量的流动。

“Da②”方向

右脚在“Na”的位置，左脚向
“Da②”方向迈出，做左前弓步，
颈部虎口助手击打

※ 当在“Da①”方向迈步左脚时，做右掌根下压格挡，同时做左虎口助手前击打

※ 左臂肘应轻轻触碰右手的手背。

“Da②”方向

用右脚跳跃，做右后虎步，
双拳仰冲拳

※ 左脚跟随并贴在右脚旁边，以刹车并保持身体的平衡，将力量传递给双拳。

“Da②”方向

右脚原地不动，左脚向
“Na”方向后退，做马步，
右下段手掌助手内手腕格挡

※ 以左虎口为目标(固定目标手)，并用右内腕打击以格挡。

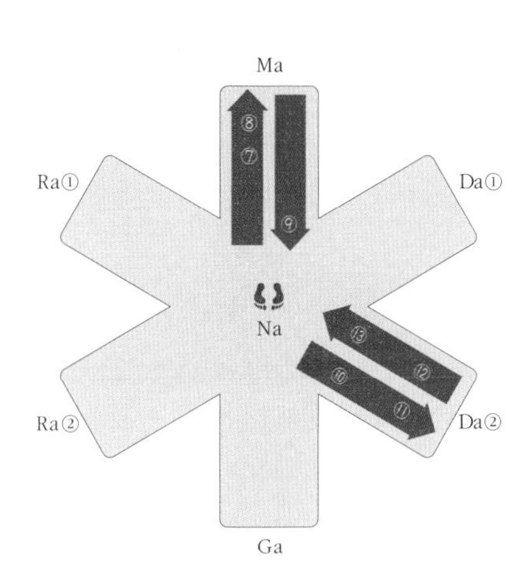

“Da②”方向

以左脚为支点，右脚向
“Na”的方向后退一步，
做右后弓步，手刀金刚格挡

"Da①" 方向
右前踢

"Da①" 方向
右脚前跳并踩脚, 左后交叉步,
上段背拳前击打

"Da①" 方向
以右脚为支点逆时针转身(90度),
收左脚, 做右脚鹤立步,
向右双手小铰链击

"Da①" 方向
左脚侧踢并迈步

"Da①" 方向
左前弓步, 颈部燕手刀内击打

"Na" 方向

左脚后退一步, 马步, 左手刀侧击

"Na" 方向

右脚上段掌对内摆踢

"Da②" 方向

向 "Na" 位置迈步, 做马步,
右臂肘掌心前击打

"Ra②" 方向

转移重心至右脚, 收左脚做并步
右脚向 "Ra②" 方向迈出, 做右前弓步,
颈部虎口助手击打

※ 在转移质量中心的过程中, 保持同样的姿势高度

“Ra②” 方向

用左脚跳跃，做左后虎步，
双拳仰冲拳

“Ra②” 方向

左脚原地不动，
右脚向 “Na” 方向后退，做马步，
左下段手掌助手内手腕格挡

※ 以右虎口为目标(固定目标手)，并用左内腕打击以格挡。

“Ra②” 方向

以右脚为支点，左脚向
“Na” 的方向后退一步，做左后弓步，
右手刀金刚格挡

"Ra①" 方向

左脚前跳并踩脚，右后交叉步，
上段背拳前击打

"Ra①" 方向

左脚前踢

"Ra①" 方向

右前弓步，颈部燕手刀内击打

"Ra①" 方向

右脚侧踢并迈步

"Ra①" 方向

以左脚为支点顺时针转身(90度)，
收右脚，做左脚鹤立步，
向左双手小铰链击

"Na" 方向

右脚后退一步, 马步, 右手刀侧击

"Na" 方向

以右脚为支点,
左脚做上段掌对内摆踢去掉

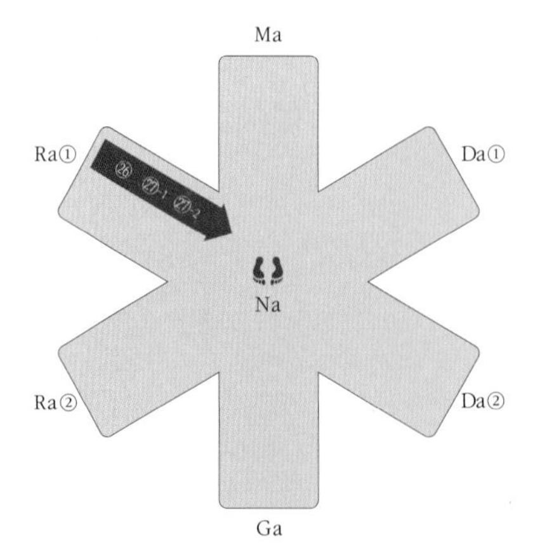

"Ra②" 方向

马步, 左臂肘掌心前击打

收势

左脚不动, 收右脚并步, 做叠手准备

9

一如

一如品势的意义

“一如”是佛教中的精神修养状态，意味着“合一”，或者是韩国新罗时期尊者元晓大师的思想精髓。在一如中，点、线和圆被统一起来。所有的技术和动作都被以不同的方式学习和执行。它们最终与身心合一，完成跆拳道的修炼。一如品势就是基于这个武术的基本原则。

在这个阶段的修炼中，修炼者学习所有的动作如何在一种超越状态下发生和结束，跳脱有意识思考所表现出来的人为行为。

练习目标

准备姿势是抱拳准备。这是跆拳道的最后一个品势。它采取的准备姿势是左手和右拳在下巴前面轻轻地包裹着，象征着统一和节制，以及身体和手中不间断的能量流动。其品势线“卍”代表一如的思想，代表了在“本体”，“身体”，和“用途”中的自我消融的状态。

在这个修炼阶段，你将学习动作是如何在在一种超越状态下发生和结束，跳脱有意识思考所表现出来的人为行为。这个品势中的新动作包括上段交叉格挡、外山侧踢/外山势侧踢、双手扭转和拉扯、腾空侧踢和推膝鹤立步。

(1) 一如品势线

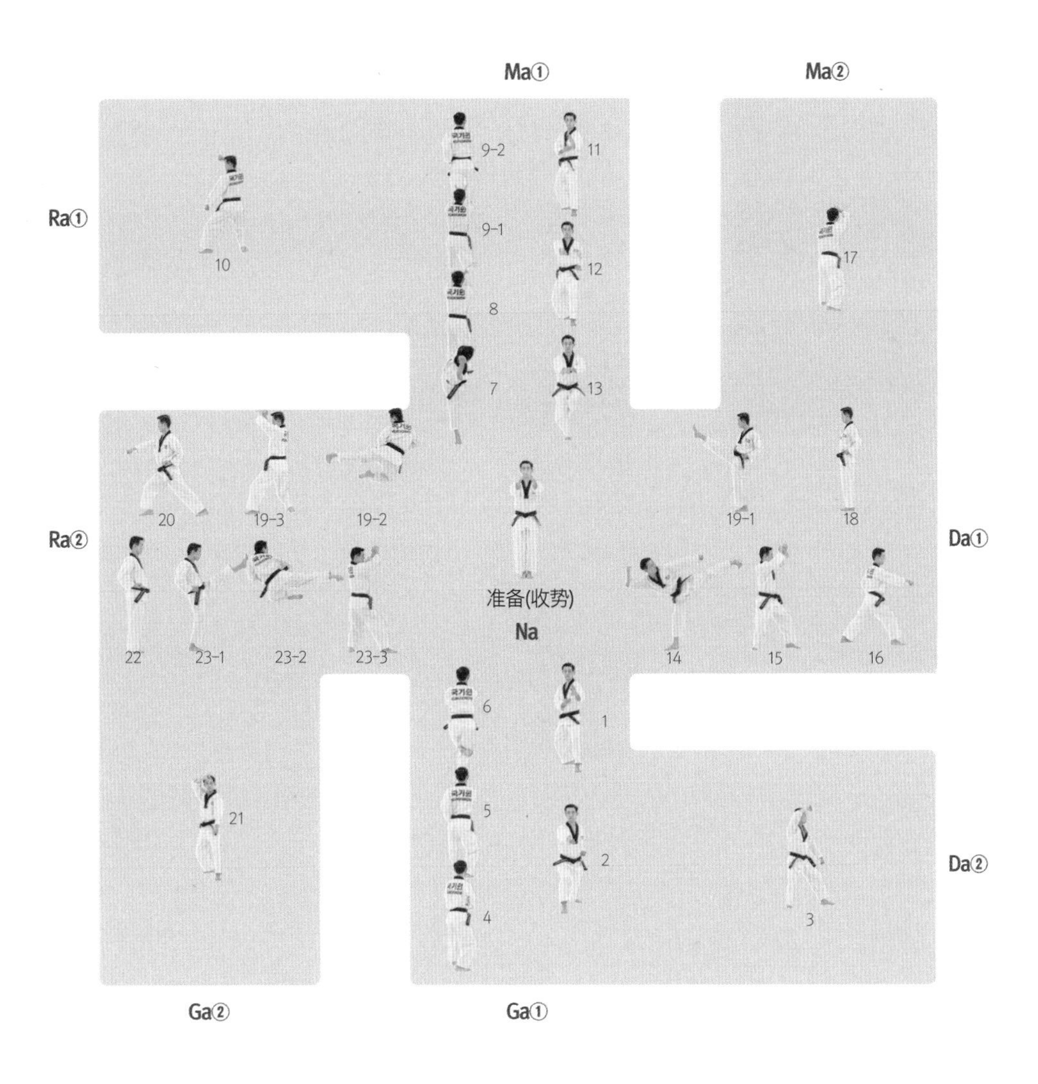
Ma①
Ma②
Ra①
Ra②
Da①
Da②
Ga②
Ga①
准备(收势)
Na
9-2
9-1
8
7
10
11
12
13
17
20
19-3
19-2
19-1
18
22
23-1
23-2
23-3
14
15
16
6
5
4
1
2
3
21

侧视图
4
5
6
7
8
9-2
17

(2) 品势说明

顺序	视线	位置	站姿	动作	品名
准备	Ga①	Na	并步	以左掌罩住右拳	抱拳准备
1	Ga①	Ga①	右后弓步	左脚迈步	左手刀助手外格挡
2	Ga①	Ga①	右前弓步	右脚迈步	右冲拳
3	Da②	Da②	右后弓步	左脚迈步	金刚格挡
4	Ma①	Na	右后弓步	转动左脚	左手刀助手外格挡
5	Ma①	Na	右后弓步	原地站姿	右冲拳
6	Ma①	Na	做膝窝步	右脚前跳	左助手立刺击 发声
7	Ma①	Na	做膝窝步	左外山侧踢	半山形侧踢
8	Ma①	Ma①	右后弓步	左脚迈步	上段交叉格挡
9	Ma①	Ma①	右前弓步	右脚迈步, 扭拉手腕	右冲拳
10	Ra①	Ra①	右后弓步	左脚迈步	金刚格挡
11	Ga①	Na	右后弓步	左脚迈步并转动	左手刀助手外格挡
12	Ga①	Na	右后弓步	原地站姿	右冲拳
13	Ga	Na	膝窝步	右脚前跳	右助手立刺击 发声
14	Da①	Na	膝窝步	左外山侧踢	半山形侧踢

顺序	视线	位置	站姿	动作	品名
15	Da①	Da①	右后弓步	左脚迈步	上段交叉格挡
16	Da①	Da①	右前弓步	扭转并拉交叉的手腕， 右脚迈步	右冲拳
17	Ma②	Ma②	右后弓步	左脚迈步	金刚格挡
18	Ra②	Ra②	并步	以右脚为支点逆时针转身， 收左脚	双拳腰间
19	Ra②	Ra②	右后弓步	右前踢，迈步，跳跃， 左脚侧踢并迈步	上段交叉格挡
20	Ra②	Ra②	右前弓步	扭转并拉手腕，右脚迈步	右冲拳
21	Ga②	Ga②	右后弓步	左脚迈步	金刚格挡
22	Da①	Na	并步	左脚以右脚为支点逆时针 转身	双拳腰间
23	Da①	Na	左后弓步	左前踢，迈步，跳跃， 右脚侧踢并迈步	上段交叉格挡
收势	Ga①	Na	并步	以左脚为支点， 右脚顺时针转动， 双脚向左脚并拢	抱拳收势

(3) 本文

准备

准备

在 “Na” 的位置上,
面向 “Ga” 的方向做
并步, 抱拳准备

1

“Ga” 方向

左脚迈步, 做右后弓步,
左手刀助手外格挡

2

“Ga” 方向

右脚迈步, 做右前弓步, 右手冲拳

3

“Da②” 方向

将重心放在右脚上, 移动左脚,
做右后弓步, 金刚格挡(缓慢地)

※ 请缓慢地执行此动作, 将呼吸集中在丹田。

"Na" 方向

以右脚为支点逆时针转身,
左脚迈步做右后弓步,
左手刀助手外格挡

侧视图

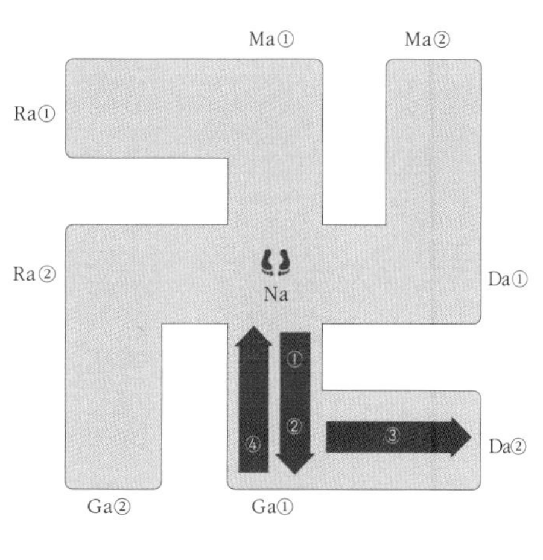

"Na" 方向

双脚同位, 右后弓步(原地站姿),
右手冲拳

"Na" 方向

右脚跳跃, 做膝窝步
("Na" 位置), 左手尖助手立刺击

"Ma①" 方向

半山侧踢
(半山形侧踢)

※ 缓慢且和谐地做侧踢和半山格挡(半山形格挡)。

侧视图

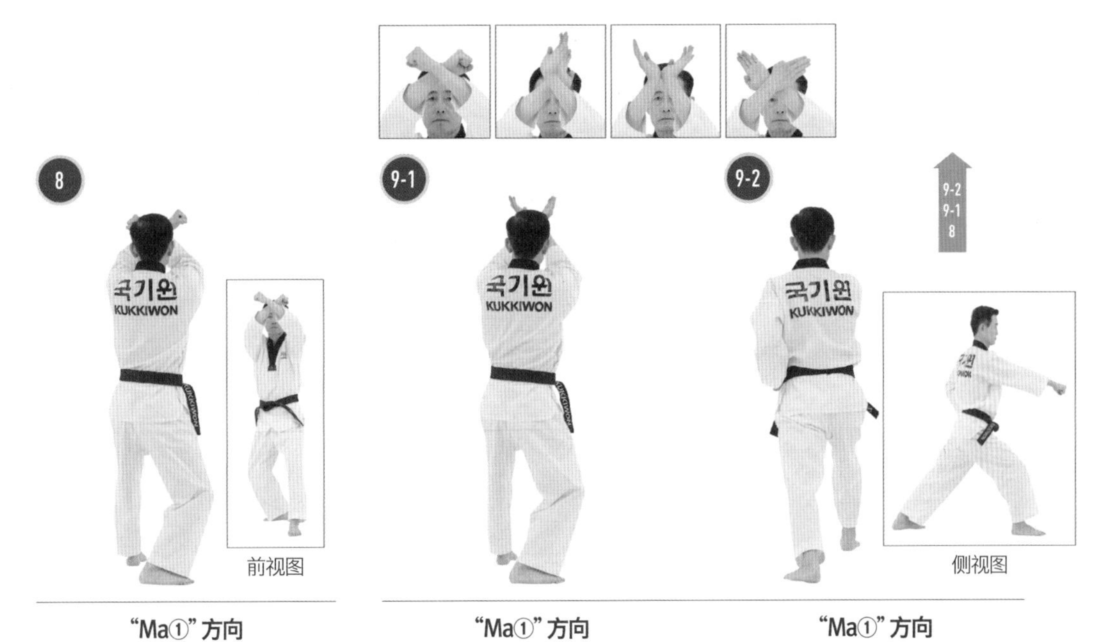

前视图
侧视图

“Ma①” 方向

在 “Ma①” 线上做完侧踢后，
移动左脚，做右后弓步，
上段交叉格挡(迅速地)

※ 当用前脚同侧的手腕做上段格挡时，后手腕从内侧交叉推动，增加前臂的力量。

※ 连接侧踢和上段交叉格挡。

“Ma①” 方向

扭转和拉动对手交叉的手腕

※ 使用交叉格挡来格挡对手的手腕。
拉出后，打开格挡手，逆时针转动它，并抓住对手的手腕。

“Ma①” 方向

右脚迈步做右前弓步，右手冲拳

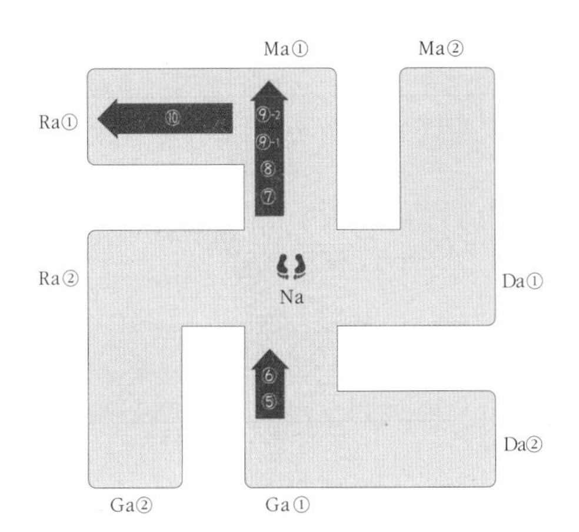

“Ra①” 方向

以右脚为支点逆时针转身，
做右后弓步，金刚格挡

11
12
13

11

“Ga” 方向

以右脚为支点转身,
左脚迈步做右后弓步,
左手刀助手外格挡

12

“Ga” 方向

双脚同位, 右后弓步(原地站姿),
右手冲拳

13 发声

“Ga” 方向

右脚跳跃向前, 做右做膝窝步
(“Na” 位置), 右手尖助手立刺击

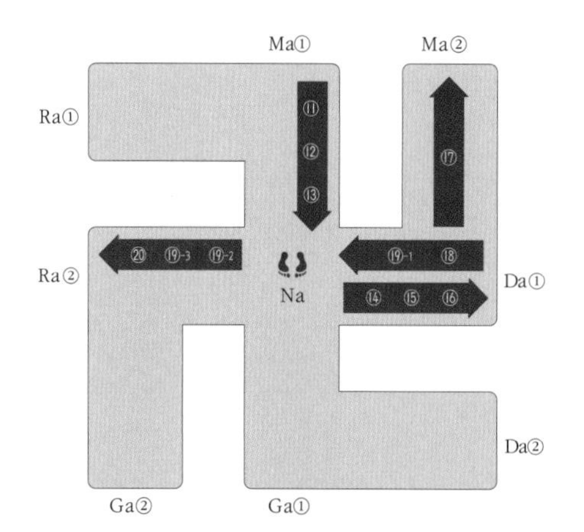

20

“Ra②” 方向

从右后弓步开始扭转和拉动交叉的手腕, 右脚迈步做右前弓步, 右手冲拳

侧视图

"Da①" 方向

原位做右推膝鹤立步,
左侧踢(缓慢地),
半山侧踢(半山形侧踢)

※ 缓慢且和谐地做侧踢半山格挡
(半山形格挡)。

"Da①" 方向

左脚迈步, 做右后弓步,
上段交叉格挡

"Da①" 方向

逆时针扭转和拉动交叉的
手腕, 右脚迈步做右前弓步,
右手冲拳

"Ma②" 方向

将重心放在右脚上,
移动左脚, 做右后弓步,
金刚格挡

20, 19-2, 19-1, 18

"Ra②" 方向

迈步, 做右后弓步,
上段交叉格挡

"Ra②" 方向

在 "Ra②" 线上迈步,
做左腾空侧踢

"Ra②" 方向

右前踢

"Ra②" 方向

左脚以右脚为支点逆时针
转身, 做并步, 双拳腰间

※ 右前踢迈步, 然后用同一只脚踢地跳起并向右转, 然后左脚侧踢。这个动作被称为换势腾空踢。在这里, 因为身体的方向从左变为右, 腿跳起, 跳起的脚向前, 并用后面的腿侧踢对手, 所以称为换势腾空侧踢。

※ 在动作 19-1 和 19-2 中, 力量的流动应该是无缝的, 以表达放大的力量。

“Ga②” 方向

以右脚为支点,
左脚迈步做右后弓步, 金刚格挡

“Da①” 方向

左脚以右脚为支点逆时针转身,
做并步, 双拳腰间

“Da①” 方向

左脚前踢并迈步

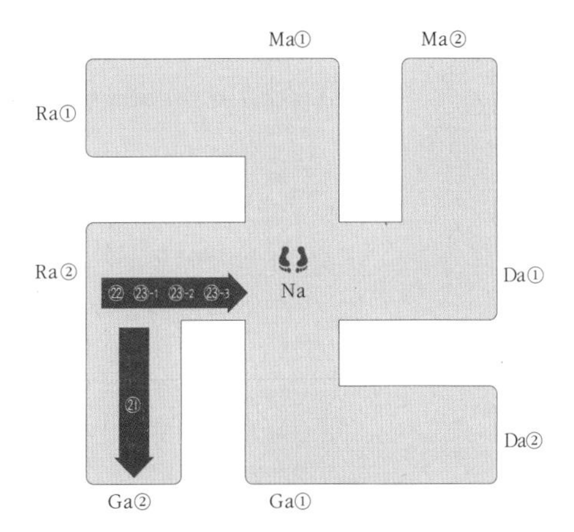

"Da①" 方向

通过右脚的腾空侧踢转动身体并向前迈步

"Da①" 方向

做左后弓步, 上段交叉格挡

收势

以左脚为支点("Na" 位置), 顺时针转动右脚, 并面向 "Ga" 方向, 并步, 抱拳收势

※ 连接 23-1、23-2 和 23-3 中的动作。

参考文献

国技院 (1987). 跆拳道教本. 三凤出版社.

国技院 (2005). 跆拳道教本. Oseong Publishing出版社.

国技院 (2008). 跆拳道术语.

国技院 (2009). 跆拳道术语.

国技院 (2010). 跆拳道技术术语.

国技院 (2011). 加强世界跆拳道学院地位的新型品势开发: 针对肥胖者, 青少年,女性, 老年人, 成人的有级者和有段者品势.

国技院 (2012). 三级跆拳道教练培训手册.

国技院 (2012). 世界跆拳道学院教本: 跆拳道与人文, 社会科学, 自然科学, 技术, 奥林匹克.

国技院 (2014). 旧跆拳道品势的恢复研究.

国技院 (2014). 跆拳道基础和品势.

康益彬 (2015). 跆拳道品势之二. SANG-A Promoting co.公司.

国技院 (2015). 关于跆拳道源技术开发的第二阶段研究: 基础和品势指南.

国技院 (2016). 跆拳道教本: 基础和品势.

国技院 (2016). 世界跆拳道学院新品势开发委员会关于针对肥胖者和老年人的功能性品势改进计划的研究.

国技院 (2017). 新跆拳道品势的全球化: 挑战, 新星, 腾飞, 飞踢.

国技院 (2017). 跆拳道品势的全球化: 成年人有级者品势.

国技院 (2019). 跆拳道词汇表.

跆拳道教本第三卷: 品势

第一版印刷	2023年11月30日	
编辑委员长	李銅燮(国技院院长)	
总监	朴鍾範(国技院)	
作者	姜翼弼(国技院)	鄭泰聲(国技院)
专门委员	姜元植(国技院)	李奎鉉(国技院)
	郭基玉(国技院)	李鍾寬(国技院)
	李高範(国技院)	楊鎭芳(大韩跆拳道协会)
	安容奎(韩国体育大学)	丁局鉉(韩国体育大学)
	許建植(世界武艺大师委员会)	
项目经理	李美蓮(国技院)	
验收	方仁周(韩国体育大学)	黄明圣(河南师范大学)
	南相奭(国技院)	

发行单位	国技院
地址	韩国首尔市江南区德黑兰路7街32号, 邮编06130
电话	+82-2-3469-0185
传真	+82-2-3469-0189
网站	research.kukkiwon.or.kr

编辑-印刷	Myungjin C&P Co.公司
地址	韩国首尔市永登浦区京仁路82街3-4号, CenterPlus大厦616室
电话	+82-2-2164-3000
传真	+82-2-2164-3010
ISBN	979-11-91659-17-7 (94690)